KB010042

내가 사랑한 동물들

내가 사랑한 동물들

전순예 지음

송송책방

들어가며

어릴 적부터 동물을 좋아했습니다. 일흔이 넘은 지금도 길을 가다 개를 만나면 돌아보고 또 돌아보고 가느라고 넘어지기도 하고 일행들이 저만치 멀리 가서 허둥대고 따라갈 때도 많습니다.

돌아보면 언제나 많은 동물들과 함께 살았습니다. 농사를 짓던 우리 집에는 닭, 돼지, 소, 개, 고양이, 오리 할 것 없이 많은 짐승이 있었습니다. 짐승들과 사람은 서로 상부상조하는 사이로, 서로가 없이는 살 수 없는 아주 소중한 존재였습니다. 할머니부터 어머니의 형제들까지 가족들도 모두 짐승을 좋아해 고생스럽지만 정성스럽게 돌보았습니다. 사람 밥보다 짐승들 밥을 먼저 챙기고, 추운 겨울에는 자다가도 일어나 소가 춥지 않게 덕석(소 등에 얹어주는 멍석)을 덮어주곤 했습니다. 남동생은 바빠도 꼭 시간을 내서 "야는 내 언나(어린아이)여." 하며 고양이를 안아주었습니다.

덩치가 큰 소는 크고 맑은 눈을 껌벅거리며 뚜벅뚜벅 걸어서 아버지의 농사일을 도왔습니다. 그때는 모든 것을 자급자족하는 때여서 비 오는 날도 산에 가서 꼴(소에게 먹이는 풀)을 베어와야 했습니다. 개 워리는 비를 흠뻑 맞으며 꼴을 베러 가는 오빠들을 따라가주었습니다. 워리가 비 맞은 몸을 후르르륵 양쪽으로 흔들어 털면 몸이 쉽게 말랐습니다. 오빠들도 워리처럼 머리를 흔들어 말렸습니다.

비단 우리 집뿐만 아니라 이웃들도 모두 짐승들을 소중히 여겼습니다. 모두 자기 집 짐승들을 자식을 사랑하듯 사랑했습니다. 우리가 보기에는 다리가 짧고 못생겼는데도 자기네 개는 너무 잘생겼다고 자랑하며 다녔습니다.

세월이 흘러 시골집을 떠나 도시에 살면서도 고양이, 오골계, 개 등 여러 동물들과 인연을 맺었습니다. 동물도 같은 개나 고양이라도 똑같은 놈이 하나 없이 생김새도 다 다르고 성격도 다 다릅니다. 날 때부터 순한 놈도 있고 사람을 안 따르는 놈도 있고 사나운 놈도, 영리한 놈도 있습니다. 그렇게 저마다 다 다른 짐승들도 이름을 지어 불러주고 항상 잘생겼다고, 착하다고 칭찬해주면 어느새 말귀를 알아듣고 졸졸 쫓아다니며 재롱을 부립니다. 사고를 쳐도 아주 성격대로 개성 있게 쳐서 화가 나려다가도 웃고 넘어가는 일이 많았습니다. 생명 있는 동물을 거두는 일은 챙길 것도 많고 돌볼 일도 많아 쉽지만은 않았습니다. 그래도 한없이 맑고 순박하고 귀엽고 사랑스러운 동물들 덕분에 각박한 현실 속에서도 기쁨을 누릴 수 있었습니다.

지금은 베트남 하노이에 살고 있습니다. 외국인들이 기르는 짐승들을 보는 재미도 꽤 괜찮습니다. 나라마다 국민성이 다르듯이 짐승들의 성격도 많이 달라서 재미있습니다. 이곳은 사철 따뜻한 기후 탓인지 짐승들이 순합니다. 소 떼가 이동할 때도 대장 소 한 마리만 고삐를 매어 끌어주면 다른 소들은 고삐 없이 선두에 서는 대장 소를 따라 길을 건너 유유히 풀을 뜯으러 다니는 모습을 볼 수 있습니다. 동네 가건물에서 개나 닭들을 키우는 집이 있는데, 개도 닭도 자기 집 반경을 벗어나지 않고 자유롭게 놉니다. 늘 지나다니는 길목에 사는 개는 꼭 외국인만 지나가면 죽어라 짖어댑니다. 한국인이 하는 떡 방앗간 고양이는 한국 사람이 부르면 '야옹' 하고 대답을 하는데, 베트남 사람이 부르면 절대 대답을 안 합니다.

하노이 교외에 있는 기도원 가는 길에 대문 안에서 개들이 엉크런(성긴) 이빨을 드러내고 죽어라 짖었습니다. 첫날은 "왜? 여기도 너희 땅이냐? 지나가지도 말라는 거냐?" 하며 지나갔습니다. 다음번에는 "잘 있었어? 반갑다~" 했습니다. 그다음에는 "너 참 잘생겼다. 멋있다!" 하며 지나다녔습니다. 개들이 알아들었는지 이제는 지나가면 꼬리를 설렁설렁 흔들며 무척이나 반가워합니다. 사람이나 동물이나 칭찬에는 무척 약한 것 같다는 생각을 해봅니다.

내가 사는 동네 골목 시장에는 닭과 오리를 잡아 파는 집이 있습니다. 조그만 둥주리에 움직일 수도 없이 닭들을 가두어놓고, 오리는 다리를 묶어서 숨이 깔딱깔딱 넘어가도록 아무렇게나 처박아놓습니다. 고통스러워하는 모습이 안타까워 멀리 돌아서 시장을 다니기도 합니다. 다른 시장을 갔더니 거기서는 지름이 1미터쯤 되는 넓은 둥주리 속에 모이도 넣어주고 물도 넣어주어서 건강하고 예쁘게 해놓고 닭과 오리를 팔아서 잠시나마 마음이 푸근했습니다.

동물을 기르다 보면 늘 끝이 아름답지만은 않습니다. 옛날에는 열심히 일하던 소도 팔고, 정 주어 기르던 개도 팔고, 모이 주던 닭도 잡아먹었습니다. 가슴이 아파도 그 시절에는 그것이 당연한 일로 알고 살았습니다. 이제는 집에서 기르는 동물을 파는 일은 없지만 사람보다 수명이 짧은 동물이 먼저 떠나는 걸 지켜봐야 할 때도 있고, 집을 나가 돌아오지 않아 가슴 아픈 이별을 하기도 합니다. 70년 넘게 이별을 겪어도 익숙해지지 않습니다. 그러니 함께할 때 정성을 다해 돌보고, 같이 있을 때 행복한 시간을 즐기는 것이 최선인 것 같습니다.

내 인생을 행복하고 풍요롭게 해주었던, 내가 사랑한 동물들을 소개합니다. 독자 여러분들도 각자 사랑했던 동물들을 추억하며 잠시 행복하시면 좋겠습니다.

일러두기

이 책에 나오는 강원도 사투리 등은 최대한 저자의 입말을 살려 넣었습니다.
필요한 경우 단어 옆 괄호 안에 간단한 설명을 넣었습니다.

차 례

2부 가장 많이 웃고 울게 하다

3부 동물들과 맺은 인연

1부

천국이 따로 없네

똘똘 뭉친
암탉 다섯 마리의 길조

씨암탉 잡아가는
난챙이를 잡다

할머니는 길조, 양반, 영물이라는 말을 자주 쓰십니다. 사람은 대개 다 양반이라고 합니다. 누구와 싸우고도 잘 생각해보면 그 사람이 나쁜 것보다 내가 나빴다고 하십니다. 짐승은 대개 영물이라서 마구 잡거나 죽이면 안 된다고 하십니다. 꽃만 예쁘게 피어도 길조라고 하십니다. 곡식이 잘되거나 짐승이 잘 되어도 길조라고 하셨습니다. 그해는 할머니 칠십 평생에 기상천외한 길조가 생겼습니다.

이른 봄, 닭들이 다 알을 낳으니 둥주리가 모자라서 임시로 넓은 광주리에 왕겨를 깔아 닭장 한쪽 구석에 놓아두었습니다. 광주리에는 이놈 저놈 들어가 알을 낳습니다. 어느 날부터인가 토종 암탉 다섯 마리가 광주리에 엎드려 나오질 않습니다. 다른 닭들을 얼씬도 못하게 합니다. 힘센 수탉이 구구거리며 광주리에 들어가 암탉을 짓밟고 다닙니다. 암탉들은 최대한 날개를 부풀리고 몸을 낮추고 눈에 독기를 뿜으며 사납게 수탉을 쪼아댑니다. 혼쭐이 난 수탉은 다시는 광주리 옆에 얼씬도 못합니다.

한 마리씩 분산시켜 알을 안기려고 닭을 들어내면 도로 그 자리에 들어가 꼼짝도 안 합니다.

"이놈들아, 이왕 안으려면 똑같은 날 새끼를 까야 할 것 아니여."

할 수 없이 품고 있던 알을 치우고 모아두었던 알을 한 마리에 열다섯 개씩 계산해 온 식구가 나서서 닭한테 쪼여가며 새로 넣어주었습니다. 체구가 작은 암탉들은 서로 자리를 바꿔가며 붙어 앉아 알이 밖으로 새 나가지 못하게 열심히 품습니다. 먹이도 사흘에 한 번씩 나와 먹는데, 세 마리는 알을 품고 두 마리씩 나와서 잠깐 먹고 들어갑니다. 이웃 사람들이 이변이 났다고 자꾸만 와서 들여다봅니다.

알을 넣어준 지 21일이 되자 광주리에서 "삐비비… 제제제…" 소리가 나며 예쁜 병아리가 어미 날개 밖으로 삐져나오는 것이 보입니다. 암탉 다섯 마리는 한사코 병아리를 품속으로 거둬들입니다. 병아리가 보이기 시작하고도 이틀을 더 광주리를 떠나지 않고 들어앉아 있습니다. 이틀이 지나자 암탉들은 알의 손실이 하나도 없이 일흔다섯 마리의 예쁜 병아리를 데리고 광주리 밖으로 나왔습니다. 병아리를 잘 까면 그해 농사가 잘된다는데 길조도 이런 길조가 없습니다. 어미 닭 다섯 마리는 닭장을 온통 다 차지하고 다른 닭들이 병아리를 쳐다도 못 보게 하고 똘똘 뭉쳐 병아리를 아주 잘 키웁니다.

기존 큰 닭들은 다 팔고 몇 마리는 잡아 가족이 몸보신했습니다. 아예 닭장에는 어미 닭 다섯 마리와 병아리만 남겨두었습니다. 닭장 속에서 여름을 나니 병아리가 다 큰 닭이 되었습니다. 어미 닭들이 하도 의리가 좋으니 새끼들도 의리가 좋지 않을까 하고 기대했습니다. 그저 닭은 닭일 뿐, 수탉들은 서로 서열 싸움을 하느라고 매일 피 터지게 싸웁니다.

가을걷이가 끝나고 내내 갇혀 있던 닭들을 풀어놓았습니다. 밭에 떨어진 낟알들을 주워 먹고 메뚜기도 잡아먹고 풀도 뜯어 먹고 닭들은 갇혀 있을 때보다 하루가 다르게 살이 통통하게 오릅니다. 어머니는 씨암탉을 따로 구분해 무척 좋아하시고 아낍니다. 씨암탉은 다리가 통통하게 살이 너무 올라 아기작아기작 걸어 다닙니다. 사람들은 닭다리가 아주 맛있게 생겼다고 농을 합니다.

난챙이(새매, 하늘 높이 떠 움직이지 않고 날개만 파닥거리는 모습이 하도 낭창낭창해서 붙여진 이름)가 우아하게 비행하더니 높이 떠 날개를 파닥파닥 흔들면서 한자리에 고정하고 닭들을 노립니다. 어머니는 얼른 닭들을 불러들여 닭장 속에 가두었습니다. 닭들을 가둬두기에는 너무 아까운 계절입니다. 잘 살펴보고 난쟁이가 보이지 않을 때 닭들을 풀어놓았습니다.

신경을 빠짝 쓰고 일하는데 난데없이 난챙이가 일직선으로 번개처럼 내리꽂으며 어머니의 씨암탉을 채 가지고 날아갑니다. 난챙이는 어머니의 씨암탉을 발 사이에 끼고 날아가, 빤히 보이는 강 건너 앞산 벼랑 위에 앉아 맛있게 뜯어 먹습니다.

"난챙이 이놈, 우리 식구도 아까워서 안 잡아먹는 씨암탉을 잡아가다니. 그것도 제일 예쁘고 실한 놈을 잡아갔네."

어머니는 엄청 약이 올라 얘기하고 또 합니다. 그놈의 난챙이는 잠도 안 자는지 이른 아침에도 비호처럼 나타나 꼭 어머니의 예쁜 씨암탉을 채 갔습니다.

"이러다가는 아까운 씨암탉이 거덜이 나겠다. 내가 저놈의 난챙이를 잡아 치우고 말아야지."

벼르고 벼릅니다. 어머니는 일부러 산에 가서 가늘고 긴 물푸레 장대를 해왔습니다. 아버지는 장대로 하늘을 나는 난챙이를 잡으면 신문에 날 일이라고 하셨습니다. 하루는 난챙이

가 하늘에 떠서 날지 않고 날개를 파닥거리며 한 군데 고정하고 닭들이 노는 것을 노리고 있었습니다. 어머니는 옥수수 짚가리 앞으로 닭들을 불러 모으고 모이를 주었습니다. 어머니는 물푸레 장대를 잡고 옥수수 짚가리에 딱 붙어 섰습니다. 한참 하늘에 높이 떠 파닥거리던 난챙이가 번개같이 내리꽂으며 닭을 낚아채는 순간입니다. 어머니는 날아오르려는 난챙이보다 더 빠르게 장대로 후려쳤습니다. 난챙이가 뚝 떨어졌습니다. 어머니도 많이 놀라셨습니다. 정말로 난챙이를 잡을 줄 몰랐습니다.

닭은 이미 죽었습니다. 난챙이는 오른쪽 날개 끝이 살짝 부러졌는데 날지 못합니다. 발톱을 세우고 위엄을 부려보지만 소용없는 일입니다. 밭에서 일하시던 할머니도, 아버지도 쫓아오셨습니다. 할머니는 난챙이는 영물이어서 잡으면 안 된다고 잘 고쳐서 보내주라고 하셨습니다. 아버지가 버드나무 가지를 꺾어다 아주 얇게 깎아서 부러진 날개 양쪽에 대고 삼베실로 감아주었습니다. 사람도 뼈가 부러지면 버드나무를 깎아 대어 움직이지 못하게 하면 붙었습니다.

닭장 옆에 칸을 막고 난챙이를 가두었습니다. 난챙이 덕분에 손님이나 오면 잡던 씨암탉을 먹게 되었습니다. 괘씸하지만 난챙이한테는 닭 대가리와 내장을 생으로 주었습니다. 오빠들이 물고기도 잡아다 주고 개구리도 잡아다 주면 잘도 먹습니다. 그래도 난챙이는 닭을 잡아먹고 싶어서 늘어진 날개를 끌고 사납게 눈을 뒤룩거리며 닭들을 들여다보고 널름거립니다.

일주일 만에 버드나무 보호대를 갈아서 다시 매주었습니다. 또 조마조마한 마음으로 일주일을 보내고 버드나무 보호대를 풀었습니다. 괜찮은 것 같습니다.

물고기와 개구리를 잡아다 넣어주고 닭장 문은 열어놓았습니다. 갈 만하면 언제든지 가라고. 어머니는 "다시 씨암탉을 채 가면 그때는 정말 가만 안 둔다"고 엄포를 놓습니다. 난챙이는 그동안 정이 든 우리 가족을 뒤로하고 씩씩하게 날아갔습니다.

삐루갱이 먹은
암송아지 덕분

명주 한 필과 바꾼
송아지로
꿈을 꾸다

할머니는 일하는 데 탁월한 솜씨를 가지고 계셨습니다. 삼베는 하루에 한 필을 짜고 명주는 사흘에 한 필을 짜셨습니다. 밭을 매도 남자들과 맞먹을 정도로 잘하셨습니다. 하지만 파는 데는 재주가 없었습니다. 그러다 보니 자연히 젊은 어머니가 장돌뱅이가 되다시피 집에서 만든 모든 물건을 파는 담당이 되었습니다.

해방이 되던 해 봄, 어머니는 명주를 팔러 장에 갔습니다. 저녁때가 되어도 팔지 못했습니다. 어떤 사람이 삐루갱이(벼룩)가 다 파먹은 암송아지 한 마리를 가지고 와서 명주 한 필과 바꾸자고 합니다. 아무도 사지 않는 삐루갱이 먹은 송아지를 망설이지도 않고 명주와 바꾸었습니다.

늦은 장꾼들의 도움을 받아 송아지를 끌고 집으로 왔습니다. 할머니와 아버지가 보시고 "쯧쯧…. 다 죽어가는 송아지를 어쩌려고 사왔느냐"고 걱정이 대단하십니다. 어머니는 걱정하지 마시라고 자기가 버젓이 잘 키워서 우리 집을 부자로 만들 수 있다고 오히려 큰소리를 치십니다.

큰소리는 쳤지만 속으로는 난감합니다. 마구간에 들일 수도 없습니다. 어머니는 송아지를 아예 부엌에서 같이 키우기로 마음먹습니다. 밥하면서 버럭지(물동이보다 입이 넓고 커 부엌에서 많이 사용하는 옹기그릇)에 물을 떠놓고 시뻘건 불덩어리를 집어넣습니다. "치지직 치지직직~" 무럭무럭 김이 나며 꺼면 숯물이 우러납니다. 수건을 숯물에 적셔 삐루갱이 먹은 송아지를 골고루 닦아줍니다. 숯물로 닦으면서 보니 그냥 볼 때보다 더 심각합니다. 털이 거의 없고 삐루갱이가 살가죽을 깊이 파먹어 고름이 나는 곳도 많습니다. 고름이 심하게 나는 곳에는 아주까리기름을 발라줍니다. 아기라도 키우는 것처럼 송아지를 들여다보고 이야기합니다.

"얼마나 꿉꿉하고 아프냐. 어디가 얼마나 아픈지 얘기를 해라."

사람도 못 먹는 콩죽을 끓여 오지동이에 담아놓고 송아지만 먹입니다. 그것도 손으로 떠서 먹입니다.

"아이구~ 얄궂어라. 부엌 구석에서 소를 키우다니." 사람들이 흉을 봅니다. "기구 가관이다(격에 맞지 않다는 뜻). 뭔 언나도 아니고 저것이 뭔 소 노릇을 하겠나." 혀를 끌끌 찹니다.

송아지는 어머니의 정성을 알았는지 한 달쯤 지나니 많이 좋아졌습니다. 한 2년만 키우면 송아지를 낳고 또 그 새끼가 새끼를 낳을 것입니다. 어머니는 소를 늘려 다수리 논을 사서 이사도 하고 부자가 될 꿈을 꿉니다.

어머니의 꿈이 한창 부풀어 오를 때입니다. 아버지가 으슬으슬 춥고 떨린다고 자리에 누웠습니다. 부지런하기로 소문난 아버지지만 병 앞에서 속수무책입니다. 한 사흘은 춥고 떨리고, 하루는 괜찮은 하루거리(하루씩 걸러서 앓는 학질로 '초짐'이라고도 함)에 걸렸습니다.

가장이 농사철에 일을 못하고 앓다 보니 농사는 엉망이 되었습니다. 할머니가 겨우 나물을 뜯어 나르고 어머니가 장에 내다 팔아, 쌀 한 됫박을 사다가 나물에 어쩌다 쌀 한 알 보이는 죽을 끓여 먹고 삽니다. 너무 못 먹어서 할머니와 아이들까지도 얼굴이 퉁퉁 부었습니다. 사람들이 송아지를 팔아서 양식을 사 먹으라고 합니다.

"이 미련한 사람아, 온 식구가 다 죽은 다음에 소가 무슨 소용이 있겠나." 합니다.

우리 집에서 송아지는 그냥 소가 아니라는 걸 사람들은 알리 없습니다. 우리 송아지는 가족이기 때문에 생사를 같이해야 합니다. 우리 가족이 굶어 죽으면 같이 죽고 살아나면 같이 살아날 것입니다.

그저 죽지 않으려 발버둥 치고 애쓰다 보니 한 해가 갔습니다. 다시 봄이 되자 아버지도 그 지긋지긋한 초짐에서 놓여났습니다. 힘써 일했습니다. 보는 사람마다 소 노릇을 못한다던 송아지는 버젓한 암소로 자라났습니다. 새끼를 낳기 시작합니다. 해마다 암송아지를 낳습니다. 송아지가 커서 또 새끼를 낳습니다.

아버지와 어머니는 어떻게 하든지 소를 10마리 이상 늘려서 다수리 논을 사기로 마음먹었습니다. 소가 점점 불어납니다. 사람들은 우리 암소가 삐루갱이가 다 파먹어 비실거리던 송아지라는 걸 잊어버린 것 같습니다.

우리 집 암소는 새끼를 잘 낳는 소로 소문이 났습니다. 새끼를 잘 낳으니 많은 사람이 배냇소(소를 데려가서 먹이고 돌보며 2년 안에 송아지를 낳으면 송아지는 빌려간 사람이 갖고 소는 도로 돌려주는 제도)로 달라고 합니다. 황소는 농어소(큰 소를 데려가 농사를 지으며 키워서 1년 뒤 돌려주는 제도)로 주었습니다.

마지리에 사는 봉균이네가 농어소를 달라고 여러 번 부탁해 잘 크는 황소를 주었습니다. 한 달이 지나자 그 집 이웃 아저씨가 소를 죽이지 않으려면 도로 데려가라고 일부러 찾아왔습니다. 먹이를 주지 않고 배고파 소리를 지르면 지게 작대기로 때리는 걸 보았다고 합니다.

아버지가 사람이면 설마 그럴 리 있겠느냐고 가보았더니 황소가 뼈에 가죽만 씌워 있습니다. 소를 보자 눈물이 와락 솟는 걸 억지로 참고 "이 사람아, 소가 왜 그리 삐쩍 말랐나." 물으니 "세상에 그렇게 입이 짧은 소 새끼는 처음 봤소. 뭘 줘도 잘 처먹어야 말이지. 그동안 먹인 품값이나 주고 도로 가져가소." 하며 거의 반말지거리를 합니다. 아버지는 너무 화가 나서 봉균이라 안 하고 "봉갱이 이놈, 평생 놀고먹고 잘살아라." 하며 소를 몰고 왔습니다. 황소는 잘 먹이니 금세 살이 올랐지만 불쌍해서 다시 남의 집에 보내지 못했습니다.

내가 갓난아기일 때 우리 집에 온 삐루갱이가 다 먹었던 암소는 새끼를 낳고 또 낳았습니다. 내가 초등학교 1학년이던 해 가을걷이가 끝났을 때입니다. 배냇소로 주었던 소도 돌아오고 농어소로 주었던 소도 돌아왔습니다. 문푸래 꼭대기에 사는 나상호 씨네는 암소를 배냇소로 데려가서 네 마리로 불려 삼부자가 소를 몰고 왔습니다. 그것도 소만 몰고 온 게 아니라 청차조 인절미를 해서 지게에 지고 왔습니다. 소를 잘 키워와서 우리가 고마운데, 자기네가 고맙다고 수수 백 번 인사를 하고 갔습니다. 고동골 사는 낙현 씨네도 살이 통통하게 오른 농어소를 몰고 왔습니다. 큰 소가 열한 마리가 되었습니다. 삐루갱이 먹었던 암소만 남기고 다 팔아 소원이던 다수리 논 일곱 마지기를 샀습니다.

어른들은 세월이 흘러도 어느 해 흉년에 살아난 이야기를 자주 하셨습니다. 우리 집이 밥술이나 먹고살 수 있는 것은 삐루갱이 먹은 송아지 덕분이라고.

꿀꿀이가
집을 떠나던 날

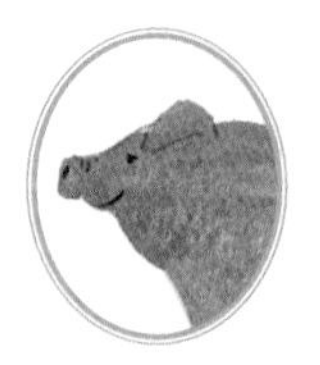

큰오빠의
먹성 좋고 잘생긴
'미국 돼지'

큰오빠가 평창농고를 다닐 적의 일입니다. 짙은 송아지빛이 나는 돼지 새끼 한 마리를 사과 궤짝에 담아서 새끼줄로 걸빵(멜빵)을 걸어 지고 왔습니다. 영국에서 들여온 두록저지(Duroc Jersey)라는 품종인데 우리나라 검은 돼지보다 빨리 많이 크는 신품종이랍니다. 평창농고에서 큰오빠 외에 농삿집 학생들 6명에게 나눠주었습니다. 1년 동안 잘 키우면 학비를 면제해주기로 했답니다.

'세상에 뻘건 돼지는 처음 본다'고 동네 사람들에게 구경거리가 되었습니다. 기껏 영국에서 들여온 신품종이라고 여러 번 설명했는데도 사람들은 '미국 돼지'라고 부릅니다. 그 시절 좋은 것, 큰 것, 질긴 것, 별난 것은 다 '미제'라고 했습니다.

뻘건 돼지가 오기 전에는 우리 집에서 돼지를 키운 적이 없었습니다. 돼지는 겨나 곡식을 먹어야 하고 수익성이 소보다 떨어져서 키우지 않았습니다. '미국 돼지'는 먹이를 감당하기 힘들 만큼 먹성이 좋았습니다. 그저 먹고 돌아서면 "꿀꿀꿀" 연신 먹이를 달라고 합니다. 아예 우리 집은 뻘건 돼지를 '꿀꿀이'라고 부르게 되었습니다.

채소를 넣고 죽을 끓여 먹입니다. 겨울 동안은 배추 시래기, 무시래기를 많이 해서 매달아놓고, 양을 늘리느라 늘 강냉이를 갈아 넣습니다. 이른 봄부터는 매달아놓은 시래기도 다 떨어졌습니다. 나는 할머니와 같이 아랫마을, 윗마을 어디든지 양지쪽 걸찬(기름진) 텃밭에 돋아나는 풀을 뜯어 날랐습니다. 오늘은 구라우 법석이네 밭에 가보았습니다. 법석이네 양지쪽 밭에는 꽃다지, 조팝나물, 콩나물(손바닥만큼씩 무리지어 나는, 먹을 수 있는 풀이름), 냉이, 달래도 드문드문 섞여 있었습니다. 할머니는 "야야, 여기 보물이 아주 많다. 오늘은 보물을 만났으니 부지런히 많이 뜯어가자"고 하십니다. 사람도 먹을 수 있는 나물들입니다.

할머니와 나는 우리가 먹을 나물을 뜯는 것이 목적이 아니고 돼지를 먹이려고 모조리 호미로 뿌리째 캡니다. 사람들이 우리가 무슨 나물이라도 많이 뜯는 줄 알고 몰려왔습니다. 남의 일에 참견하기 좋아하는 사람들이 그걸 어떻게 먹으려고 하느냐고 혀를 끌끌 차면서 안타까워합니다. "먹을 끼 오죽 없으면 저런 풀뿌리를 모조리 캐겠느냐"고 자기들끼리 수근거립니다. 할머니는 대꾸하기 귀찮아서 아무 말씀도 안 하시고 부지런히 풀을 캐 자루에 담습니다. 그저 앞만 보고 부지런히 캐다 보니 벌써 자루가 그득 찼습니다.

법석이 할머니가 "친구야 들어오라"고 하십니다. 법석이 할머니는 친절하게도 따뜻한 물에 손도 씻게 해주십니다. 법석이 할머니가 따끈따끈한 찐 감자를 먹고 하라고 주십니다. 양지쪽에 돋아난 잘잘한 파란 움파와 달래를 한 바구니 차렸습니다. 배추가 잘되지 않아 작고 푸른 김치를 머리를 뚝 잘라 양재기에 수북이 담아냈습니다. 배추김치 잎에 감자를 올리고 파와 달래를 몇 가닥씩 올려 싸서 먹습니다. 이렇게 맛있는 찐 감자는 처음 먹어봅니다.

새끼줄로 걸빵을 만들어 풀 자루를 지고 구라우 험한 길을 오기가 풀을 캘 때보다 더 힘들었습니다. 강물에서 풀뿌리를 씻는 일도 쉽지 않았습니다. 그래도 나는 집안일보다는 들로 산으로 다니는 것이 좋습니다. 꿀꿀이 덕에 자주 풀을 캐러 갈 수 있어서 좋았습니다.

하루는 아시네 윤필 씨네 밭에 풀을 캐러 갔습니다. 윤필 씨네는 반가워하며 들어오시라고 해서 갔더니, 닭을 푹 삶아 넣고 끓인 미역국에 푸짐한 점심을 대접해주어 잘 먹었습니다. 윤필 씨 댁의 생일인데 윤필 씨가 미역국도 직접 끓여 생일상을 차려주었다고 자랑합니다. 어느 날은 떡을 먹고 싸주는 집도 있었습니다. 강릉 친정집에서 가져온 곶감을 주는 집도 있었습니다. 돼지 풀 뜯기가 좀 고달프기는 하지만 풀을 뜯으러 갈 때마다 좋은 일이 생겼습니다. 나는 "이상하게 돼지 풀 뜯으러 가면 좋은 일이 생기네." 하니 할머니는 사람이 자기를 위해서도 열심히 살면 하늘이 복을 내려서 그렇다고 하십니다.

꿀꿀이는 크는 것이 보이는 것 같습니다. 큰 가마솥에 풀뿌리를 넣고 강냉이 가루도 넣고 겨도 넣고 훌훌하게 한 가마솥을 끓여 두멍, 버럭지, 물동이에 담을 수 있는 대로 쭉 퍼놓으면 한 사흘 정도 먹일 수 있습니다. 꿀꿀이는 무엇이나 잘 먹지만 이른 봄나물죽은 주둥이를 죽통에 처박고 "후루룩 후루룩 쩝쩝." 하며 더 맛있게 먹습니다.

문제가 생겼습니다. 보통 돼지 기준으로 집을 지었는데 집이 꽉 차서 돼지가 움직일 수 없어 집을 넓히게 되었습니다. 칸막이를 높였지만 돼지의 가슴까지밖에 안 옵니다.

어느 날부터인가 꿀꿀이는 사람을 보면 앞발을 앞 칸막이에 올리고 웃었습니다. 엄청 큰 주둥이에 큰 콧구멍을 벌렁거리며 콧살을 찡그리고 고개를 한껏 치켜들면 왕방울 같은 두 눈이 보이지 않고 감기는 것이 아주 가관입니다. 덩치 크고 잘생긴 꿀꿀이가 재롱을 부리면 바쁜 우리 가족은 한데 모여 한바탕 웃음바다를 이뤘습니다.

큰오빠의 돼지는 약속한 시간에 평창농고로 돌아가지 못했습니다. 소처럼 끈을 매 며칠이고 평창까지 걸어가면 되겠지 했는데, 꿀꿀이는 우리 밖으로는 한 발짝도 나오려 하지 않았습니다. 사람들은 뭔 돼지를 집채만 하게 키웠느냐고 큰오빠의 꿀꿀이는 살아서 평창농고로 돌아갈 수 없다고 약을 올립니다. 이참에 '미국 돼지' 맛 좀 보자고 합니다. 어린 동생들은 잡아먹자는 농담을 듣고 구석구석에 숨어서 웁니다.

학교에서는 돼지가 크면 얼마나 크겠느냐고 빨리 가져오라고 합니다. 방법을 찾던 중 공사장에서 잔뼈가 굵었다는 전문 목도꾼을 구할 수 있었습니다. 목도꾼은 여섯 사람이 멜 수 있는 목도를 만듭니다. 꿀꿀이의 두 발을 함께 묶어서 들것에 태우기로 합니다. 목도꾼들이 무겁다고 돼지 밥을 먹이지 말라고 당부합니다. 어머니는 꿀꿀이가 좋아하는 죽을 만들어 목도꾼들 몰래 먹입니다. 순한 줄만 알았던 꿀꿀이는 덩치만큼이나 센 힘으로 어두니골이 떠나가라 "꽥꽥꽥~" 괴성을 질러댑니다. 힘깨나 쓴다는 남자 여럿이서 땀을 뻘뻘 흘리며 묶어서 실을 수 있었습니다.

여섯 명이 목도의 장대를 어깨에 메고 좁은 어두니 비탈길을 내려갑니다. 비탈길은 뒤에 사람이 뻭발(뒤꿈치에 힘을 주고 버티는 모양)을 주고 뒤로 당기는 것같이 내려갑니다. 자칫하면 앞으로 무게가 실려 곤두박질할 수 있기 때문입니다. 다리를 건너갑니다. 전문 목도꾼이 앞에서 뒷걸음질하며 길을 인도합니다. "흐여차 흐여, 왼발 조심조심, 오른발." 하며 좁은 다리를 건너갑니다. 빗금으로 된 목도를 멘 사람들은 양쪽에 서지 않고 일렬로 서서 가는 것처럼 다리를 건너갑니다. 이렇게 해서 어두니 다리를 건너고 다수리 다리를 건넜습니다. 다수리 다리를 건너 계장리부터는 미리 준비한 우마차에 태워가려고 합니다.

우리 가족은 꿀꿀이가 어두니 다리나 건너는 것을 본다고 따라나섰습니다. 목도꾼들을 따라 한 발 한 발 따라가다 보니

다수리 다리까지 건넜습니다. 우마차를 타는 꿀꿀이를 쓰다듬으며 잘 가라고 눈물을 글썽이며 이별합니다. 학교에 갔던 여동생 둘이 두 주먹을 불끈 쥐고 땀을 뻘뻘 흘리며 뛰어왔습니다. 꿀꿀이 목을 끌어안고 엉엉 웁니다. 꿀꿀이는 지쳐서 큰 눈만 껌뻑거립니다. 사람들은 웃긴다고 무슨 돼지 새끼를 가지고 유별을 떤다고 합니다. 여동생들은 큰 소리로 앙앙 울면서 "우리 가족인데 죽으러 가는데 눈물이 안 나겠느냐"고 합니다. 짓궂은 사람들이 여기저기서 한마디씩 하며 동생들을 더 울립니다. 목도를 같이 메고 왔던 아버지가 시끄럽다고 어머니 보고 아들(아이들) 데리고 빨리 집으로 가라고 하십니다.

꿀꿀이를 우마차에 태우는 일도 쉽지 않습니다. 아버지는 묶었던 발을 풀어주었습니다. 꿀꿀이 어깨 사이로 밧줄을 묶어서 우마차를 뒤로 기울여놓고 앞에서 밧줄을 당기고 뒤에서 밀어 올렸습니다. 앞다리를 묶은 끈을 우마차 양쪽으로 벌려 묶었습니다. 꿀꿀이가 일어설 수도 있고 앉을 수도 있게, 자유롭게 움직일 수 있게 해주었습니다. 아버지는 주머니 여기저기에서 강냉이를 꺼내 꿀꿀이에게 줍니다. 꿀꿀이는 고개를 쳐들고 '히~' 웃더니 강냉이를 우적우적 맛있게 먹습니다. 사람들은 박장대소합니다. 동생들과 어머니는 울면서 웃으면서 마지막으로 꿀꿀이를 안아봅니다. 옥고개재를 넘어 보이지 않을 때까지 잘 가라고 손을 흔들며 그 자리에 서 있었습니다.

꿀꿀이는 평창농고에 무사히 도착할 수 있었습니다. 다른 돼지들은 별로 크지 않았습니다. 어떤 돼지는 보통 돼지보다 훨씬 작았습니다. 다들 겨와 곡식 종류만 먹였답니다. 아마도 큰오빠의 꿀꿀이는 풀을 많이 먹여서 큰 것 같다고 분석했답니다.

큰오빠의 꿀꿀이는 종묘 돼지로 평창농고에 남게 되었습니다. 꿀꿀이를 보내고 초상집 같던 우리 식구는 꿀꿀이가 종묘 돼지로 살게 되었다는 소식을 듣고 다 같이 시간을 내어 꿀꿀이를 보러 가자고 약속했습니다. 평창농고에서 꿀꿀이의 집을 넓고 높게 지어 꿀꿀이를 칸막이 사이로나 볼 수 있었습니다. 사람들은 꿀꿀이의 웃는 모습을 보고 싶어 했지만, 꿀꿀이는 왠지 크고 좋은 집에서 웃지 않았습니다.

부엉 부자 되라
부엉 부자 되라

우리 집을 좋아한
부엉이

내 기억으로 밤이면 부엉새는 언제나 울었습니다. 소쩍새가 '소쩍소쩍' 하고 울고 구구새(올빼미)도 '구구~ 우우, 구구~ 우우' 하는 소리를 듣고 잠들었습니다. 구구새나 소쩍새의 집은 어딘지 몰랐습니다. 어두니골 부엉이는 우리 집 앞산 높은 벼랑 위에 살고, 뒷산 뺑창(절벽) 높은 곳에도 살았습니다. 닭을 많이 키우는 우리 집을 부엉이는 아주 좋아했습니다.

큰오빠가 고등학교를 졸업하고 한 해 쉬면서 대학 등록금을 마련하려고 작은 밤나무 밑 100평쯤 되는 땅에 닭장을 지었습니다. 산에 가서 가느다란 나무를 베어다 엮어서 울타리를 만들었습니다. 먼저 중간중간 기둥을 세웠습니다. 기둥을 따라 긴 장대를 3단으로 둘러쳤습니다. 산에서 끌고 온 3미터 되는 회초리를 땅을 파고 꽂으면서 가느다란 새끼줄로 촘촘히 엮어서 만들었습니다. 사다리를 만들어 올라가 꼭대기 층까지 엮었습니다. 참으로 긴 시간이 걸렸습니다.

큰오빠는 그동안 모은 용돈과 아버지, 어머니의 도움으로 부화장에서 병아리 500마리를 사왔습니다. 큰오빠가 닭을 키운다고 하니 친척 집에서 토끼 몇 마리를 선물로 가져왔습니다. 닭과 토끼를 같이 키우면 닭이 병이 나지 않는다고 합니다. 밤이면 닭을 닭집으로 몰아넣고 문을 닫으면 부엉이가 채 갈 수 없습니다. 토끼는 밤에도 닭장 밖 운동장을 돌아다닙니다. 부엉이는 밤이면 우리 집 용마루에 와서 울다가 토끼를 채 가곤 했습니다. 어쩌다 닭집에 들어가지 않은 닭도 채 갔습니다. 부엉이가 채 가지 못하도록 닭장 위에 그물망을 쳐야 하는데 그물망 값이 비싸서 치지 못했습니다.

휘영청 달 밝은 밤, 부엉이가 얄밉다는 생각도 잊어버리고 구경하곤 했습니다. '부부부～～～엉' 하고 크고 굵은 목소리를 내는 놈이 남편 부엉이라고 합니다. 안으면 한 아름은 될 것 같은 놈이 두 귀가 있는 것 같은 모가지를 이쪽으로 뱅글, 반대로 뱅글 돌리다 큰 목소리로 '부～엉～' 하는 것이 웃깁니다. 덩치가 조금 작은 놈이 모가지를 이리 뱅글 저리 뱅글 돌립니다. 한참 간격을 두었다 가늘고 짧게 째지는 소리로 '부엉～' 하고 웁니다. 이렇게 우는 놈이 아내 부엉이라고 합니다.

여름이 지나고 닭이 낳은 알을 팔아서 닭장 운동장에 그물망을 쳤습니다. 부엉이는 어두컴컴한 밤에 용마루에 앉아 '부

부어엉~'거리다가 용감하게 닭장을 습격했습니다. 거꾸로 내리꽂았는데 그물망에 발이 걸려 아무리 퍼덕거려도 날아오르지 못했습니다. 우리 가족은 횃불을 써(켜)들고 부엉이를 구경했습니다.

"우리 부엉이를 잡아먹을까요?" 하니 아버지가 육식동물은 더럽게 맛없다고 합니다. 할머니는 부엉이는 영물이라서 마구 잡아먹으면 안 된다고 하십니다. 큰오빠는 사다리를 놓고 그물망 위로 올라가서 한 발이나 되는 큰 부엉이의 양 날개를 접어 안고 아버지가 밑에서 그물망을 끊어주었습니다. 멍청한 부엉이 덕분에 큰오빠는 너무나도 부드러운 부엉이를 안아본다고 좋아했습니다. 우리 가족은 무언가 큰일을 한 것도 같고 아주 후련하고 좋은 밤을 보낼 수 있었습니다.

작은 어두니골에 아주 부지런하고 재주 좋은 집안 아저씨가 삽니다. 가끔 부엉이 집에서 꺼내왔다고 토끼나 꿩을 가져왔습니다. 사냥 기술이 뛰어난 부엉이 집에는 뱀도 있고 쥐도 있고 별것이 다 있다고 합니다. 부엉이는 세 개뿐이 몰라서 무엇이든 세 개만 남겨놓고 꺼내다 먹으면 된답니다. 자기는 좋아하는 꿩이나 닭이나 토끼 같은 것만 꺼내 먹는다고 합니다.

"아저씨, 부엉이 집을 만나면 부자가 된다는 말이 있던데 아저씨는 부자겠네요." 하니, "부자는 무슨. 그저 고기는 아쉽잖게 먹고 살지." 합니다. 어른들한테 정말이냐고 물어보면 엄청 웃으시면서 "정말이고말고." 하십니다. 왠지 부엉이 집에서 꺼내온 토끼는 께름칙해서 먹지 않았습니다.

내가 열두 살 때 일입니다. 학교에서 돌아오는 석지비리 벼랑 밑 길에 부엉이 두 마리가 큰 날개를 펴고 날아오르려고 퍼덕퍼덕합니다. 아무리 퍼덕거려도 날아오르지 못합니다. 부엉이 뒤에는 개갈가지(새끼 호랑이)가 따라다닌다고 합니다. 개갈가지가 있나 하고 살펴보니 없습니다. 조금 가까이 가서 돌을 던져봅니다. 가까이서 보니 눈이 빨간 것이 엄청 무섭습니다. 뒤로 물러섰다가 잘하면 잡을 수도 있겠다 싶어서 다시 다가가 봅니다. 한 1미터쯤 가까이 다가가 돌을 던집니다. 큰 발톱에 몸무게를 싣고 큰 두 날개를 펴고 금방이라도 달려들 것 같이 나를 노려봅니다. 집으로 갈 수가 없습니다. "부엉이 이 새끼들 왜 하필이면 그 좁은 길에서 노나." 중얼거리며 또 돌을 던집니다. 몇 시간이 흐른 것 같습니다. 부엉이가 겨우 골짜기 쪽으로 방향을 잡아 뒤뚱거리며 길을 비켜났습니다. 무서

워 벌벌 떨면서 겨우 집으로 왔습니다.

할머니가 "야야, 무슨 일이 있었나." 하십니다. "응, 할머니 석지비리 길에 부엉이 두 마리가 길을 비켜주지 않아서 한참을 싸우다 지금 왔어. 잡아 가지고 오려다가 말았어." 할머니가 깜짝 놀라면서 "그거 안 잡아오길 잘했다. 부엉이는 영물이라서 마구 건드리는 것이 아니다." 하십니다. "그럼 왜 대낮에 즈 집에서 놀지, 길에서 놀아?"

할머니 얘기로 쇠부엉이는 낮에 사냥한다고 합니다. 밤에만 사냥하는 부엉이는 귀가 있고 쇠부엉이는 귀가 없다고 합니다. 하지만 분명히 귀가 있었습니다. 아버지도 언젠가 낮에 거기서 부엉이를 만난 적이 있다고 하십니다. 그 바보 같은 놈들이 벼랑 위 집에서 실수로 떨어졌거나, 아니면 밤에 사냥 나왔다가 날이 밝는 것을 모르고 너무 오래 있었을 것이라고 합니다.

사그네 사는 집안 아저씨도 가끔 '똑똑이'가 잡아온 꿩을 가지고 오셨습니다. 부엉이가 하는 짓이 너무 똑똑해서 똑똑이라 부른답니다. 사그네 아저씨는 이른 봄, 개 워리와 같이 뒷산에 나물을 뜯으러 갔습니다. 워리가 자꾸만 낑낑거리며 뺑창

밑까지 갔다가 또 아저씨한테 왔다가 하기를 여러 번 해서 가 보았답니다. 가보니 비실비실 금방 죽을 것 같은 아주 조그만 부엉이 새끼가 있었답니다. 광주리에 포대기를 깔고 아랫목에 들여놓고 키웠답니다. 풀밭을 뒤져서 벌레를 잡아다 입을 벌리고 먹였습니다. 한 열흘쯤 되니 날개가 나고 아주 예뻐져서 산으로 보내려고 집 앞 밤나무에 집을 짜서 매달아놓고 벌레를 잡아다 주었습니다. 이제는 제법 커서 사냥해 먹습니다. 그렇지만 부엉이는 산으로 날아가지 않았습니다.

어느 날인가 꿩을 잡아 아저씨 앞에 놓아주었답니다. 가만히 보니까 고양이한테는 쥐를 잡아다 주었습니다. 고양이가 여러 마리 있어도 부엉이가 어린 날 같이 자란 고양이 외에는 쥐를 주지 않았습니다. 토끼를 잡아다 발로 누르고 주둥이로 찢어서 워리와 나누어 먹었습니다. 워리도 다른 워리(그때는 온 동네 개의 이름이 다 워리였습니다)는 아무것도 주지 않고 얼씬도 못하게 했습니다.

열일곱 살 때 이사한 다수리 집에는 밤마다 부엉이가 용마루에 앉아 울었습니다. 이웃집 우용이 아버지는 술만 취하면 부엉이를 데리러 왔습니다. 우용이 아버지는 부엉이가 "부엉

부자 되라 부엉 부자 되라"고 하는 거랍니다. "우리 집에도 좀 가자"고 사정합니다. "부엉아, 나는 닭도 줄 수 있다"고 합니다. 부엉이가 울던 집엔 지금 남동생이 살고 있습니다. 동생은 점점 땅을 많이 사서 부자로 잘살고 있습니다.

병아리와 노느라면
천국이 따로 없네

개와 고양이랑 함께
병아리 키우기

닭들은 봄이 되면 '갈갈갈갈' 알 젓는 소리(알 품을 때가 되면 암탉이 내는 특유의 소리)를 내기 시작합니다. 체구가 작은 토종닭들은 여기저기서 서로 경쟁하듯이 알 둥주리를 차지하고 알을 품습니다. 다른 집들은 덩치도 크고 알도 잘 낳는 신품종 레그혼이나 뉴햄프셔를 많이 키웁니다. 우리 집이 굳이 토종닭을 고집하는 건, 특히 병아리를 잘 품기 때문입니다. 게다가 색깔이 화려하고 육질도 좋습니다.

봄이면 병아리만 태어나는 게 아니라 돼지도 강아지도 많이 태어나지만, 다들 40일 정도 키우면 팔게 됩니다. 병아리는 1년을 함께하며 손님이 오면 고기도 제공하고 아쉬우면 팔아 용돈도 하고 알도 먹습니다.

성질 급한 토종닭이 알을 품은 지 21일이 되는 날입니다. 아직 병아리는 보이지도 않는데 실금 사이로 '삐악삐악' 아주 가냘픈 병아리 소리부터 들립니다. 어떤 알은 금이 쫙쫙 가면서 털이 짝 달라붙은 볼썽사나운 괴상한 놈이 나옵니다. 빨리 나오는 놈도 있고 아주 오래오래 애써야 알껍데기를 깨고 나오는 놈도 있습니다. 알껍데기를 깨고 나오는 게 힘들어 보인다고 사람이 껍데기를 뜯어주면 병아리는 힘을 잃고 죽어버리기 때문에 도와줄 수 없습니다. 알을 깨고 나온 병아리는 조금 시간이 지나, 어미 닭의 온기로 털이 마르면 까맣고 노랗고 보송보송한 것이 말로 표현할 수 없이 예쁘고 앙증맞은 모습으로 변합니다.

병아리는 털이 마르면 어미 닭한테서 떼어내 방으로 데려갑니다. 아버지가 싸릿가지로 위쪽은 좁고 밑면은 넓게 만든 병아리 집에 두꺼운 천을 깔고 열흘 동안 키워 닭장으로 보냅니다. 병아리는 어미 닭한테 맡기면 잘 키우기는 하는데, 온 집안을 뒤엎고 밭을 파헤치고 작패가 심해서입니다.

눈물이 나도록 작고 노랗고 쪼끄만 병아리를 보면 가슴도 아슬아슬 깜짝깜짝합니다. 그래도 고 작은 것들이 많은 것을 알고 있습니다. 첫 먹이로 달걀을 삶아서 노른자를 부스러뜨려주면 아주 즐겁게 재잘재잘 노래하면서 먹습니다. 흙을 발로 파 뒤집을 줄도 압니다. 물 먹을 때는 고개를 쳐들고 넘길 줄도 압니다. 병아리는 뾰족한 주둥이로 먹이를 씹지도 않고 넘기는데 어떻게 맛을 아는지 참깨를 제일 먼저 먹고 싸라기,

좁쌀 순으로 맛있는 것부터 먹습니다. 해마다 100마리가 넘으면 키우기가 힘들어서 100마리를 기준으로 키웁니다.

봄 날씨는 변덕스러워서 갑자기 샛바람이 불며 추워집니다. 젖을 먹는 짐승에 비해 병아리들은 병이 잘 납니다. 저희끼리 모여 재재거리며 서로 속으로 파고듭니다. 날개를 늘어뜨리고 꼬박꼬박 조는 놈을 골라 재빠르게 손을 써야 합니다. 들기름을 한 방울 먹이고 따뜻한 아랫목에 누더기 이불을 덮어놓습니다. 한참 있으면 재재재재 삐악거리며 살아서 나옵니다.

어느 해는 동생이 태어난 지 얼마 안 돼서 병아리들도 태어났습니다. 아랫목에 뉘어놓았던 아기를 윗목에 누이고, 병아리 둥주리를 아랫목에 들여놓았습니다. 갑자기 아기가 많이 울고 열이 나고 아팠습니다. 지나가던 자칭 삼신할머니가 병아리 둥주리를 보고 “이게 탈이구먼.” 하였습니다. 병원도 없고 약국도 없던 시절, 아는 소리를 좀 할 줄 아는 삼신할머니는 아무 연고도 없이 떠도는 이였습니다. 아기가 있는 집을 골라 다니며 조언해주고 빌어주고 약간의 수고비와 잠자리를 제공받고 살았습니다. 상에다 정화수 한 그릇 떠다놓고 성의껏 복채를 올려놓습니다. “하늘에 계신 삼신할머니, 이 아이가 오

이 크듯 가지 크듯 아무 탈 없이 클 수 있도록 돌보아주소서."
병아리를 사랑방으로 옮기고 청소를 하고 아기를 아랫목 제자리에 뉘었더니 괜찮아졌습니다.

병아리가 태어나면 개나 고양이를 미리 교육합니다. 고양이나 개 앞에 병아리를 갖다놓으면 얼른 잡아먹으려고 덤빕니다. 회초리를 준비하고 있다가 병아리를 건드릴 때 슬쩍슬쩍 몇 번 때립니다. 이렇게 교육 기간이 끝나면 집안의 모든 짐승이 흐뭇하게 한데 어우러져 살게 됩니다.

병아리는 사람만 얼씬하면 발끝에 차일 정도로 따라다닙니다. 바람이 불면 솜털이 날리면서 금세 날아갈 것 같습니다. "쭈쭈" 하면 쪼르르 모여들어 한 아름 안깁니다. 병아리를 데리고 놀다 보니 점심을 만들 시간이 늦었습니다. 허둥지둥 물동이를 이고 부지런히 오는데 탁 소리가 나서 보니 병아리를 밟았습니다. 조그만 병아리가 터지면서 투명하고 얇은 막이 꽈리처럼 부풀어 올랐습니다. 60년이 다 된 일이지만 지금도 눈에 선하게 떠올라 그 병아리한테 미안한 마음을 잊을 수 없습니다.

병아리는 크면서 다양한 색깔로 바뀝니다. 암평아리는 날개가 나고 꽁지도 새처럼 상큼하게 나며 참새처럼 포르르 소리가 나게 날기도 합니다. 수놈은 꽁지가 뭉툭하고 다리가 어청(길어서 시원하게 보이는 모습)한 것이 날개와 꽁지가 암놈보다 늦게 납니다. 봄에 모심기가 시작되기 전 논에는 독사리(뚝새풀)가 비단처럼 자랄 때가 있습니다. 점심 먹고 잠깐 쉴 참에 온 식구가 짐승 새끼들과 논에서 모여 놉니다. 돼지 새끼도 나오고 개도 강아지를 데리고 풀밭으로 나옵니다. 병아리도 불러냅니다. 닭장 문을 열고 "쭈주주주 쭈쭈쭈 주주우우우~" 하고 부르며 먹이를 흘리고 앞장서 논으로 가면 '삐악삐악' 재잘거리며 잘 따라옵니다.

우리 가족은 아무리 바빠도 병아리들과 잠시라도 같이 놀아줍니다. 풀밭에 누우면 병아리들은 재잘거리며 몰려와 배 위고 다리고 손이고 밟고 올라와 작은 주둥이로 비비고 쪼아보기도 하면서 같이 놉니다. 맑은 하늘에 흰 구름이 흘러가는 것을 바라보노라면 천국 같다는 생각이 들 때도 있습니다.

모심기가 시작되면 천국 같던 병아리의 놀이터가 없어집니다. 우리 집 뒤로는 보 도랑물이 역수로 흘러 강으로 한 1킬로미터쯤 흐릅니다. 큰 밤나무가 세 그루 있고, 논둑 위로 뽕나무를 줄로 심어 누에를 먹입니다. 논둑의 뽕나무 밑으로 풀밭이 도랑물과 이어집니다. 밤나무 밑에 닭장을 짓고 문을 열어놓으면 물을 싫어하는 병아리들은 자연히 뽕나무 밑 풀밭에서 놀아서 운동시키기가 더 쉬워졌습니다.

장시간 밖에 놓아둘 수는 없습니다. 날짐승이 채 갈 수도 있고 족제비가 잡아갈 수도 있어서 한 시간쯤 놀면 불러들여 가둡니다.

병아리는 6개월쯤 되면 억세고 버르장머리 없는 닭으로 변합니다. 닭은 극성스러워서 논물에도 들어가 벼 이삭도 쪼아먹고 논두렁도 파 뒤집습니다. 아버지는 기껏 농사지어놓으면 수지도 모르고 먹는 버르장머리 없는 달구새끼(닭)들을 절대 내어놓지 말라고 당부하십니다.

작은오빠 따라
후다닭

정성 들여 키운
쌈닭

다수리 집으로 이사해 며칠이 되지 않아 일어난 일입니다. 건넛집 원내네 수탉이 우리 집까지 건너왔습니다. 원내네 수탉은 기세등등하게 우리 집 수탉을 후달궈(정신 차릴 새 없이 쫓아가) 쫓아버렸습니다. 원내네 수탉은 날개를 땅에 끌릴 정도로 낮게 펴고 "고고고··· 꼭꼭꼭···" 하며 우리 집 암탉을 차지하고 놉니다.

누가 봐도 열 받고 화나는 일입니다. 원내네 수탉한테 지고 구석에 처박혀 나오지 못하는 우리 집 수탉한테도 화나지만, 그런다고 금방 원내네 수탉을 따라나서는 암탉들 때문에 더 화가 납니다. 암만 미물이라고는 하지만 어떻게 그렇게 배신을 때릴 수 있는지 기가 막힙니다. 작은오빠는 큰 몽둥이를 들고 원내네 수탉을 금방이라도 때려잡을 것 같습니다. 아버지가 보시고 짐승 싸움이 사람 싸움 된다고 절대 그러지 말라고 하십니다.

작은오빠는 아래윗마을을 돌아다니며 수탉이 큰 집의 닭알을 구해왔습니다. 자기는 아주 우량종의 닭을 만들어내고야

말겠다고 벼릅니다. 닭이 알을 품을 때마다, 낳은 달걀은 집으로 빼돌리고 주머니를 털어 닭알을 사다 안겼습니다.

병아리가 태어나자 수평아리만 골라 별도로 먹이를 먹입니다. 작은오빠가 아무리 노력해도 원내네 닭을 이길 만한 수탉이 태어나지 않았습니다. 작은오빠는 3년째 되는 해에 작전을 바꾸기로 했습니다. 수탉은 소고기를 날것으로 고추장을 찍어 먹이면 기운이 세진다는 소리를 들었답니다.

"어머니, 장에 가거든 닭 먹이게 소고기 좀 사다 줘유."

"사람도 못 먹는 소고기를 뭔 닭을 먹이겠다고 사다 달라나. 어림도 없는 소릴랑 하지를 말어."

그래도 어머니가 혹시나 소고기를 사오나 하고 종일 기다립니다. 어머니는 소고기를 사오지 않았습니다. 작은오빠는 포기하지 않고 장날마다 소고기를 사다 달라고 조릅니다. 어느 장날 작은오빠가 나무를 팔아 모아두었던 돈을 내놓으면서 또 소고기를 사다 달라고 합니다.

"저런 나쁜 놈의 새끼. 달구새끼 소고기 먹일 돈이 있으면 살림에 보태겠다. 어미한테 소고기를 사줘 봐라." 할머니가 듣고 "다 큰 아를 보고 욕은 왜 하나, 사다 주지도 않을 거면서."

하십니다. 작은오빠는 할머니가 편들자 더 기가 살아서 오늘 장에는 소고기를 꼭 사다 달라고 떼를 씁니다.

어머니는 “저런 뭣같이 생긴 놈의 새끼가 듣자 듣자 하니 시끄러워 살 수가 없네. 내가 오늘 저놈의 새끼 버르장머리를 고쳐놓아야지.” 하면서 서너 발 되는 빨래 장대를 들고 때린다고 쫓아옵니다. 작은오빠는 ‘맞아 죽으면 되지, 뭐’ 하며 일어나지 않고 장창을 떱니다(급한 상황에서도 얄미울 만큼 미련을 떠는 모습). 어머니가 큰일을 내는 줄 알았습니다. 할머니가 저러다 아 잡겠다 말리려고 하는 순간입니다. 긴 장대를 메고 우르르 달려오던 어머니는 긴 장대를 작은오빠 어깨 위에 슬쩍 얹었습니다. 말리려던 할머니는 억지로 웃음을 참으며 모르는 척 휭하니 가버리셨습니다. 작은오빠는 어머니가 힘없이 장대를 어깨 위에 슬쩍 얹자 벌떡 일어나 씩 웃더니 어디론가 가버렸습니다.

몇 시간이 지나서 퉁가리(물고기)를 버드나무 가지에 주렁주렁 꿰어 가지고 왔습니다. 제일 큰 것으로 골라 머리 부분과 등에 난 뿔을 다 잘라내고 위에서부터 껍질을 홀라당 벗겨서 고추장을 찍어 닭들에게 먹입니다. 어머니는 아까운 고추장을

달구새끼들 먹인다고 난리입니다.

작은오빠는 친구들과 같이 매일 밤 퉁가리 보쌈을 합니다. 퉁가리 보쌈은 아직 물이 차가운 이른 봄, 초승달이 뜨는 밤부터 시작되었습니다. 장마 때 떠내려가다 여기저기 걸린 허연 나무를 주워 모아 큰 바위 밑에 황닥불을 피웁니다. 우리 집에는 지름이 50센티미터 되는 넓은 놋양푼이 두 개 있었습니다. 놋양푼에 보자기를 씌우고 중심에 어른 엄지손가락만하게 구멍을 뚫어 준비합니다. 물꼬내기(마낙 낚시의 먹이로 쓰이는 물벌레. 얕은 여울물에 산다)를 잡아 산 채로 양푼 속에 집어넣습니다. 몇 마리는 넓적한 돌에 놓고 대강 퐁퐁 찧어서 보자기 입구에 바르고 속에도 집어넣습니다. 여울물을 휘저어 물때를 다 떠내려 보내고 하얀 모래밭을 만듭니다. 양푼이 묻힐 만큼 잘잘한 돌로 담을 쌓습니다. 돌담 틈으로 예쁘게 여울물이 졸졸 흐릅니다. 담 밑에 양푼을 윗부분 보자기만 남기고 묻어놓습니다. 보쌈을 묻어놓은 자리에서 멀찌감치 떨어진 곳에 또 다시 돌담을 쌓고 하나 더 묻어놓습니다.

보쌈이 두 개이기 때문에 부지런을 떨어야 합니다. 다음 보쌈 놓을 자리를 준비하고 보면 양푼 그득 퉁가리가 우글우글

들어 있습니다. 달빛에 비치는 붉은색의 퉁가리들이 아름답습니다. 상당한 독성이 있는 뿔을 가진 퉁가리들이 몸이 닿아 마구 부딪치는데도 저들끼리는 쏘이지도 않는가 봅니다. 서너 시간만 잡으면 큰 다래끼로 하나 가득 잡았습니다. 아무리 고기가 많아도 요령이 없는 아들은 하나도 잡지 못하고 빈 다래끼로 돌아갑니다.

퉁가리는 여울물에 많이 삽니다. 그것도 깨끗하고 졸졸 흐르는 여울물을 좋아합니다. 같은 여울물에서도 큰 돌 밑 웅덩이 같은 데 놓으면 퉁가리가 들어가지 않는 것을 모릅니다. 또 잡은 자리에 계속 보쌈을 놓으면 금방 다 잡았으니 들어갈 퉁가리가 없는 것도 모르는 것 같습니다.

잘 못 잡는 친구는 작은오빠 보고 '너는 왜 그리 부산스럽게 왔다 갔다 하느냐' 타박을 합니다. 그 친구는 황닥불을 떠나지 못하고 불빛이 비치는 곳에 보쌈을 놓고 불가에 퍼지르고 앉아서 꼼짝하지 않고 자기 보쌈에는 퉁가리가 들어가지 않는다고 불평 불평합니다. 불빛이 비치면 들어가지 않는다고 말해줘도 소용이 없습니다.

어머니는 아끼는 놋양푼을 우그러트리려고 가지고 다닌다

고 또 야단이 났습니다. 할머니는 "놔둬라. 그것도 못 하게 하면 어떡하나." 하십니다. 어머니는 우리 집 놋그릇은 할아버지가 함경도 원산까지 가서 등짐으로 지어 나른 유기라서 할아버지를 본 듯 오래오래 대를 물려 써야 한다고 합니다. 그래도 할머니 덕분에 작은오빠는 봄 내내 퉁가리를 원 없이 잡아 날랐습니다. 처음 며칠은 푹 삶아 퉁가리 매운탕을 끓여 먹었습니다. 푹 삶은 퉁가리에 겨를 섞어 병아리들을 먹입니다. 병아리들이 보이는 것같이 쑥쑥 큽니다. 날마다 많이 잡아오다 보니 처치 곤란입니다. 나중에는 집으로 가져오지 않고 바윗등에 널어놓고 들어왔습니다. 며칠이 지나면 아주 바삭하게 말라 있습니다. 마른 퉁가리는 거두어들여 방아에 쿵쿵 찧어 겨와 섞어 먹일 수 있었습니다. 작은오빠는 퉁가리 보쌈이 끝나자 골뱅이를 건져다 절구에 찧어 곡식과 같이 먹입니다. 그렇게 우량종의 쌈닭을 키우기 위해 한여름에 최선을 다했습니다.

병아리 때부터 잘 먹어 닭들이 아주 튼튼하게 빨리 잘 자랐습니다. 수탉들은 다리가 어청하고 볏이 빨갛고 꽁지 깃털이 길게 척 휘어진 것이 아주 멋있습니다. 수탉들뿐 아니라 암탉들도 달구둥주리같이 크고 통통하고 탐스럽고 예쁘게 잘 자랐습니다. 작은오빠는 들일을 하다 집에만 들어오면 쉴 틈도 없이 닭들을 훈련합니다. 닭들 틈에 끼여 옥수수를 살짝살짝 뿌려주면서 한 100미터쯤 달려가 가슴까지 오는 살구나무 밑동을 양발 차기로 걷어찹니다. 먹이를 뿌리면서 가기 때문에 닭들은 날마다 무더기로 함께 달리기를 합니다.

가을이 되자 수탉 중에 타조같이 다리가 길고 튼튼하고 커다란 놈이 나왔습니다. 자주색에 짙은 남색의 깃털이 섞여 날개가 화려합니다. 홰치며 목을 길게 빼고 "꼬끼오~" 웁니다. 어른 손바닥만 한 붉은 볏은 왕관처럼 위풍당당해 보입니다. 작은오빠를 따라 양발 차기로 살구나무를 걷어찰 줄도 압니다. 저울에 달아보니 아홉 근하고 200(5.6킬로그램)이나 됩니다. 덩치가 큰데도 엄청 빠릅니다. 눈도 밝아서 멀리 기어가는 벌러지나 메뚜기도 다른 닭들이 잡아먹을 새 없이 후다닥 뛰어가 잡아먹습니다.

가만히 있지를 않고 항상 후다닥 뛰어다녀서 이름을 아예 '후다닭'이라고 지었습니다. 후다닭은 뛰고 걸으면서 작은오빠가 어디를 가든 따라다닙니다. 작은오빠는 후다닭을 데리고 원내네 집에 갔습니다. 원내네 닭은 후다닭을 보자 숨어서 나오지 않았습니다. 닭싸움을 시키고 싶은 것은 작은오빠의 마음이고 후다닭은 아예 닭들을 상대하지 않습니다. 작은오빠는 쌈닭을 만들려고 많은 노력과 연구를 했지만 헛수고였습니다.

싸우라는 닭이랑은 싸우지 않고 후다닭은 오직 작은오빠를 따라다니며 작은오빠에게 해가 된다 싶으면 사람이고 짐승이고 사정없이 양발로 걷어찹니다. 원내네 집에서는 윗동네에 가려면 우리 집 마당을 지나가야 빠릅니다. 후다닭은 작은오빠 마음을 알았는지 원내네 식구가 마당에만 나타나면 양발차기로 등짝을 걷어찹니다. 원내네 가족은 지름길로 다니지 못하고 한참을 돌아 윗동네를 다녔습니다.

집 지키는 뱀
이사시키기

돌담이 무너지자
나타난 뱀

어두니골은 살기가 좋았습니다. 뒷동산이 가까워서 나물을 뜯어 나르기도 쉬웠습니다. 집 앞으로 한 500미터쯤만 가면 맑고 시원한 강물이 흘렀습니다. 이름도 모르는 수많은 꽃이 심고 가꾼 일도 없는데 어떻게 그렇게도 곱게 무리 지어 피는지 신기했습니다. 밤나무 밑으로 집 주위엔 수리딸기, 멍석딸기, 나무딸기, 고무딸기가 철따라 열렸습니다. 겨울이면 뒷동산에서 썰매를 타고 강에서 앉은뱅이 스케이트를 타는 것도 좋았습니다.

다른 것은 다 좋은데 단 한 가지, 뱀이 없다면 얼마나 좋을까요. 산에 가나 강에 가나 늘 뱀이 나올까 봐 무서웠습니다. 흐들스럽게(실하고 탐스럽게) 핀 나무딸기 위에 뱀이 길게 엎드려 혓바닥을 너불너불하며 딸기를 따 먹는 것을 본 적도 있었습니다.

여기저기서 뱀에 대해 험하고 무서운 이야기를 종종 들었습니다. 고동골 준석이네 할아버지는 꼴짐을 지고 오다가 독사를 만났답니다. 할아버지는 꼴짐을 진 채 지게 작대기의 가달

진(가랑이진) 부분으로 독사의 목을 눌렀답니다. 비탈길이어서 꼴짐이 넘어오면서 엎어져 독사한테 물려 할아버지도 돌아가시고 독사도 죽어 있었답니다. 산 밑에 사는 어느 가난한 집은 여름날 방문을 열어놓았다가 어두워져 방에 들어가려다 방안 문지방 밑에 들어온 뱀을 밟아 물렸다고도 했습니다.

우리 집은 산 밑에 있다 보니 밭에 돌이 많았습니다. 밭에 돌도 치울 겸 돌을 주워 날라 집 뒤란에 쌓기 시작한 것이 집을 빙 둘러 반달 담을 쌓게 되었습니다. 마당에는 대추를 한 가마니씩 딸 수 있는 큰 대추나무 세 그루, 키가 큰 사과나무, 앵두나무, 고야나무(자두나무)가 있었습니다. 고야나무 다음부터는 아버지가 손수 지은 디딜 방앗간도 있고 마구간과 잿간이 있었습니다. 집 앞으로는 살구나무와 복숭아나무를 심었습니다. 담 안으로는 짚주저리를 뒤집어쓴 토종 벌통이 여러 개 있었습니다. 작은 텃밭이 있어 파나 상추, 배추 등 급할 때 멀리 가지 않고 뜯어 먹을 수 있는 비상 채소를 심었습니다. 어머니의 자부심이자 긍지요 자랑인 장독간도 있고 겨울이면 김치광도 담 안에 만들어 살았습니다.

어른들 말로는 담 속에 집을 지키는 집지킴(집터 안에서 사는 구렁이)이 산다고 합니다. 집터가 좋아서 용이 되려고 준비 중인 큰 뱀이 사람을 해하지 않고 집을 지켜주며 살고 있다고 합니다. "에에이~ 우리는 한 번도 못 봤는데요." 하면 "원래 아들 눈에는 안 띄는 것이란다." 하십니다. 어른들 눈에도 1년에 딱 한 번만 띈다고 합니다. 원래 집 주위에 돌담을 쌓으면 쥐가 많은데 쥐가 없는 것 보면 큰 뱀이 다 잡아먹는 것 같다고 하십니다.

반달 돌담 안에는 장마 때면 아주 맑고 투명한 샘물이 졸졸졸 흐릅니다. 집 뒤는 방에서 뜨럭(뜰)을 한 발쯤 되게 돌담을 쌓고 진흙으로 잘 다져놓았습니다. 큰 대추나무 밑에서부터 뜨럭 밑으로는 땅을 한 80센티미터쯤 깊이 도랑을 파서 헛간 뒤로 해서 강으로 흘러가게 해놓았습니다. 담 밑의 밭과는 어른이 껑충 건너뛸 만큼의 거리입니다. 집 주위가 온통 다 물바다지만 집 뒤뜨럭부터 마당은 물이 나지 않는 아주 명당 터입니다. 할아버지가 집터를 잡을 적에 석 달 열흘 장마에 눈여겨보아 물이 나지 않는 터를 골라 집을 지었답니다.

어느 해 천둥 번개가 치고 바람이 거세게 불던 칠흑같이 어두운 밤, 뒤란에서 와르르르~ 세상이 다 무너지는 것 같은 무서운 소리가 났습니다. 날이 밝자 세상을 삼킬 것 같던 바람이 언제 그랬느냐는 듯 맑고 고운 햇살이 비치고 있었습니다. 뒷문을 열고 보니 돌담이 무너져 작은 간장독 하나가 깨져 있었습니다. 간장이 뒤집어지면 집안에 흉한 일이 생긴다고 해서 장독간을 아주 소중히 여기고 있었습니다. 일이 바쁘니 담을 금방 손질할 수 없어서 장독 가까운 데만 치웠습니다. 동생은 무너진 담 위에서 놀기를 좋아했습니다.

하루는 점심을 먹고 쉬는 참이었습니다. 할머니가 번개같이 뛰어서 담 위에서 놀고 있는 동생을 안고 담 밖으로 달려갔습니다. 깜짝 놀라 보니 큰 뱀이 고야나무 밑에서 혀를 너불너불하며 동생 쪽을 바라보고 있었답니다.

할머니가 "아범아, 담이 헐린 참에 집지킴을 이사시키자"고 하셨습니다. 아버지는 "어머니, 재주도 좋은 소리를 하시네요. 무슨 수로 뱀을 이사를 시켜요?" 하십니다. 할머니는 돌담을 좋아하는 놈이 담을 헐어 옮기면 자연히 담을 따라갈 것이라고 하셨습니다.

아버지는 일꾼을 서너 명 불러 돌담을

헐어 큰 밤나무 밑에다 쌓았습니다. 담을 다 헐고 나니 정말로 고야나무 밑 쪽으로 아주 큰 굴이 뚫려 있었습니다. 며칠 뒤 굴은 흙으로 메꾸어버렸습니다. 돌담이 있던 자리에는 솔갑(소나무잎이 붙은 소나무 가지) 울타리를 만들었습니다. 호박 덩굴도 올리고 오이 덩굴도 올렸습니다. 돌담 위에 흙을 져다 덮었습니다. 꽤 쓸 만한 마당이 생겼습니다. 여름에는 자리를 깔고 쉴 참에 쉬기도 하고 지나가는 사람들도 쉬어갈 수 있어서 좋습니다. 통굽살이(소꿉놀이) 하기도 아주 좋았습니다.

열세 살 때의 어느 날입니다. 금방이라도 비가 쏟아질 것같이 하늘이 낮게 내려앉은 날, 밤나무 밑 작은 마당 돌담에서 집지킴이 나왔습니다. 커다란 머리통은 손목을 꺾어든 것같이 생겼고, 눈은 꼭 엄지와 검지를 붙여든 것같이 생겼습니다. 아버지의 두 손으로 잡을 만큼 커다란 몸통은 갈색에 흰 줄이 보이는 듯 마는 듯 가 있습니다. 놈이 꼬리를 땅에 붙이고 일어서서 혀를 너불너불하며 그 큰 눈으로 사방을 살펴봅니다.

멀리서 어른들과 함께 구경했습니다. 길이가 2미터도 넘을 것 같습니다. 정말 용이 되어 하늘로 올라가려나 했는데 한참을 두리번거리더니 돌담 속으로 들어가 버렸습니다. 너무도 크고 끔찍한 뱀인데 집지킴이라 하니 별로 무섭지 않았습니다. "집지킴은 1년에 한 번 어른들 눈에만 띄는 것인데 너도 어른이 되었나 보다"라고 어머니는 말씀하셨습니다.

다수리로 이사할 때까지 교통도 불편하고 뱀도 많은 어두니골에서 잘 살고 떠나올 수 있었던 것은 집지킴이 우리 집을 잘 지켜주어서 그렇다고 할머니는 늘 말씀하셨습니다. 큰오빠는 무슨 뱀이 집을 지키느냐고, 그놈이 거기 살기 좋으니 살았을 뿐이라고 하면 할머니는 늘 그런 소리 하는 것이 아니라고 하셨습니다.

말은 못해도 말귀는
다 알아듣는 워리

고기를 구워줘도

아깝지 않은 강아지

우리 집 병원은 안방 아랫목입니다. 사람이고 짐승이고 몸이 시원찮으면 안방 아랫목에서 몸조리를 하고 살아났습니다. 추운 겨울 얼음물에 빠진 나그네도 아랫목에 묻어 살려 보냈습니다. 겨울 동란에는 지나가는 허약한 피란민도 우리 집 아랫목 병원에서 여럿 몸을 추스르고 갔습니다. 태어난 지 사흘 만에 어미를 잃은 워리도 아랫목 병원에서 키워냈습니다. 안방에 붙은 부엌은 작은 솥부터 큰솥을 걸어 자질구레한 음식을 해 먹기 때문에 항상 따뜻함을 유지할 수 있었습니다. 평소에는 아버지와 어머니가 머무는 방이지만 위급한 상황이 생기면 언제라도 안방을 내놓았습니다.

어느 해 봄, 어머니는 볼일이 있어 오촌 아저씨네 집에 갔는데 아주머니가 펑펑 울고 계셨습니다.

"여보게, 우리 워리가 새끼 난 지 사흘 만인데 죽었다네. 죽은 쥐는 안 먹는데 쥐약을 먹고 아직 비영비영 살아 다니는 쥐를 먹었다네. 자네는 짐승을 잘 키우니 어미 닮은 검은색 암놈을 한 마리 가져가 키워보게, 죽으면 할 수 없고."

어머니는 눈도 안 떨어진 강아지를 다래끼에 담아 메고 왔습니다. 쌀을 푹푹 고아 멀건 죽물을 해서 숟가락으로 먹이니 잘 먹지 못해서 손가락으로 찍어 먹입니다. 겨우 핥아 먹습니다. 따뜻한 아랫목에 헌 포대기를 깔고 덮어주었습니다. 온 식구가 일하다가도 간간이 들어와서 죽물을 먹입니다. 한 사흘 지나 죽물을 숟가락으로 떠먹이니 받아먹습니다. 살 때가 돼서 그런지 주는 대로 잘 먹고 자고 먹고 자고 합니다.

일주일쯤 지나자 더 바빠졌습니다. 눈도 안 떨어진 것이 온 방 안을 설설 기어 다니며 오줌도 싸고 똥도 아무렇게나 싸놓습니다. 어느 날 일하다 먼저 들어온 할머니가 "야들아, 강아지가 눈을 떴다." 하며 좋아하십니다. 세월이 빨리 가는 것이 야속스럽다고 생각했는데 어렵고 힘든 일은 세월이 가야 해결되는 법이라고 하십니다.

이제는 죽을 푹 끓여 거르지 않고 주어도 혼자서 잘 먹습니다. 혼자서 먹느라고 반은 엎지르기도 하고 죽 그릇에 빠지기도 합니다. 주둥이를 죽 그릇에 너무 깊이 넣어 코로 죽이 들어가 캑캑거리고 토하기도 하면서 혼자 열심히 먹습니다.

하루가 다르게 부쩍부쩍 커갑니다. 혼자서 방 안에 있기를 싫어합니다. 문지방을 넘으려고 안간힘을 쓰고 문지방을 넘으면 마루 끝에서 굴러떨어지기도 하고 뜨락에서 굴러떨어지며 밖으로 나왔습니다. 천방지축입니다. 병아리를 잡아먹겠다고 병아리 꽁지를 물고 잡아당깁니다. 할머니는 애초에 길을 잘 들여야 한다고 "워리야, 이리 와봐라~." 하며 병아리를 보여주십니다. 철없는 워리가 병아리를 덥석 물려고 할 적에 싸릿가지로 주둥이를 따끔하게 때리며 병아리를 건드리면 혼난다고 몇 번 야단칩니다. 워리는 이제 병아리만 보면 고개를 숙이고 외면하고 다닙니다. 얼마나 철이 없는지 풀밭에 기어가는 뱀을 물어 당기다 물려서 입이 퉁퉁 부어서 밥도 먹을 수 없습니다. 개가 뱀에 물리면 짚 똬리에다 밥을 주면 낫는다고 합니다. 개는 뱀독에 강해서 며칠 고생은 했지만 무사했습니다.

철없던 워리는 이제 우리 집 가족 중에서 제일 바쁩니다. "워리야, 날기(나락) 좀 잘 지켜라. 닭들이 파먹지 못하게 잘 지켜야 해." 이야기만 하고 가면 근심하지 않아도 됩니다. 사람들이 집에 돌아올 때까지 하루 점두룩(하루 종일) 날기 한 톨도 건드리지 못하게 지켜냅니다. 날기만 지키는 것이 아니라 온 집안의 짐승들도 서로 싸우고 잡아먹지 못하게 지킵니다.

사람들만 워리를 좋아하는 것이 아닙니다. 평소에는 얼마나 착한지 고양이와 닭, 오리, 병아리도 잘 데리고 놀아줍니다. 워리가 누워 있으면 고양이가 그 위에 눕고 고양이 위에 닭이 올라앉고, 오리들도 워리 주위를 싸고 눕습니다. 우리 집 짐승들이 이렇게 사이좋게 지내는 것은 어릴 적부터 손끝에서 키우며 사람처럼 안 되는 것은 안 된다고 가르치고 잘하는 것은 잘한다고 칭찬하며 키운 덕분 같습니다.

워리는 말은 못하지만 말귀는 다 알아듣습니다. 오리 새끼들은 강까지 한두 번만 길을 알려주고 데려다주면 따로 먹이를 줄 일도 없고 저녁때가 되면 집으로 불러오기만 하면 되지만, 오고 가는 동안 까마귀나 매가 채 갈 염려가 있어 사람이 일일이 데려다주고 데려왔습니다. 하루는 "워리야, 오리 새끼 좀 강까지 바래다주고 저녁때가 되면 데려올래?" 그냥 해본 소리였습니다. 워리는 정말로 오리들을 강까지 데려다줍니다. 오리들이 다 큰 뒤에도 저녁때가 되면 꼭 시간 맞춰 데려옵니다. 새끼 산토끼를 물어다 준 것도 워리였습니다.

어머니는 착한 워리에게 고기를 구워주어도 아깝지 않다고 하십니다. 때론 강에서 잡은 뱀장어를 화롯불에 적쇠(석쇠)

를 얹어 굽습니다. 워리는 화롯가에 앉아 코를 벌름거리며 세상에서 가장 선하고 맑은 눈으로 고개를 갸웃거리며 어머니를 쳐다봅니다. 어머니가 워리를 바라보는 눈에도 꿀이 뚝뚝 떨어집니다. "어머니는 우리보다 워리를 더 좋아하는가부여." 하니 할머니가 "낳은 정보다 키운 정이 그만큼 대단하단다. 눈도 안 떨어진 걸 데려다 키웠으니." 하십니다. 기름이 지글지글 나오면 고기를 밀가루에 굴려 또 구우면 기름이 나옵니다. 여러 번 밀가루에 굴려 구워 큼직한 고기 토막을 만들어 워리에게 상으로 먹일 때도 있습니다.

워리는 데려온 다음 해부터 봄가을로 새끼를 낳았습니다. 워리는 새끼를 배서 힘든 몸으로도 집 지키는 일을 게을리하는 법이 없습니다. 체구도 별로 크지 않고 아주 착하게 생겼는데, 집 주위에 낯선 사람이 오면 용납하지 않습니다. 밤나무 밑에 낯선 사람들을 얼씬도 못하게 해 밤도 지킵니다. 밤중에 닭장에 부엉이가 걸린 것도 알려주었습니다. 평소에는 삽짝(사립짝) 거리에 집이 있어 거기서 먹고 자고 합니다. 새끼를 낳을 때가 되면 부엌 마루 밑으로 들어와 새끼를 낳습니다. 한 번에 여섯 마리, 일곱 마리씩 낳습니다.

할머니는 워리가 새끼를 낳을 때가 되면 어머니한테 꼭 사골을 사오라고 당부 당부하셨습니다. 사람도 먹고 워리도 먹이자고 하십니다. 사골은 물에 담가 핏물을 빼고 뽕나무 장작으로 고아야 국물이 잘 우러납니다. 서너 번쯤 고아 사람이 먹고 다음부터는 쌀뜨물을 받아 붓고 푹 고면 열 번을 고아도 기름이 동동 뜨는 뽀얀 사골 국물이 나옵니다. 거기에 죽을 끓여 먹이면 어미의 젖이 잘 나와 강아지가 아주 복스럽고 기름이 졸졸 흐르고 예쁘게 잘 큽니다.

어머니는 개를 판 돈으로 살림을 사면 잘 산다고 해서 강아지를 판 돈으로 꼭 살림을 장만하십니다. 부엌에 걸린 열두 동이들이 가마솥도 봄가을에 강아지를 판 돈으로 산 것입니다. 밥사발도 사고 대접도 사고 술잔도 샀습니다. 우리 집이 단골인, 꾀 많은 옹기 장사 아저씨는 강아지를 팔 때가 되면 용케도 알고 예쁜 항아리를 지고 와서 팔고 갔습니다.

비둘기 마음은 콩밭에,
둥둥이 마음은 산에

워리가 물어온
산토끼

오빠들은 산토끼가 많은 뒷산으로 나무하러 가고 풀을 베러 다닙니다. 산에 놀러 다니는 것은 아니지만 오빠들은 나무하고 풀 베는 동안 틈틈이 나무 타기도 하고 토끼몰이 하는 것을 재미있어 합니다. 나도 오빠들 틈에 끼고 싶습니다. 어머니는 여자가 험한 일을 하면 팔자가 세진다고 집 안에 붙잡아두었습니다. 그래도 다행인 것은 어머니가 나물을 좋아하시기 때문에 나는 자주 뒷산에 오를 수 있었습니다.

나물을 뜯으러 갈 때마다 예쁜 잿빛 토끼도 만나고 옅은 갈색 토끼도 만납니다. 빨간 눈의 토끼들은 털 관리를 어떻게 하는지 뽀송뽀송한 것이 한번 안아보고 싶습니다. 긴 귀를 쫑긋거리며 두 발을 비비기도 하고 무엇을 오물오물 먹으면서 무심하게 놀고 있습니다. 내가 숨죽이고 가까이 다가가도 전혀 모르고 놀 다가 손을 뻗어 확 덮치려는 순간 화들짝 도망가버립니다. 내가 조금만 더 빨랐으면 잡을 수 있을 텐데 안타깝습니다. 토끼몰이를 하다가 나물을 조금밖에 뜯지 못한 적이 한두 번이 아닙니다.

평소 산에서 오르막길을 뛰는 것은 엄두도 내지 못할 일입니다. 토끼가 앞에서 뛰어가면 오르막 산비탈도 엄청 빨리 뛰어 따라갈 수 있습니다. 앞서가는 토끼만 바라보고 뛰어가다가 몸뻬 자락이 나무 그루터기에 걸려 무릎 위까지 쭉 찢어졌습니다. 산에 갈 때는 누더기 바지를 입어야 하는데 바지 갈아입는 걸 잊어버리고 그냥 갔다가 새 바지를 찢어 먹었습니다.

어머니한테 많이 혼날 것 같습니다. 어머니 몰래 들어오려고 담을 넘었는데 담 안에서 일하시는 어머니와 딱 마주쳤습니다. "이놈의 간나가 새 무명 바지를 찢어 먹으면 어떡하나!" 벼락같이 소리소리 지르십니다. 할머니가 보시고 "야야, 어디 다친 데는 없나." 하시며 얼른 나를 끌어안고 집 안으로 들어가서 별로 혼나지 않았습니다.

이제는 산에 갈 때마다 부지런히 나물부터 뜯어놓고 토끼몰이를 합니다. 토끼몰이를 할 때마다 손도 찢어지고 다리를 훌쳐(가시덩굴 같은 데 스쳐서) 피멍이 들지 않는 날이 없습니다. 그래도 자꾸만 토끼와 놀다 보니 점점 빨리 뛸 수 있습니다.

토끼는 똥도 동글동글하게 예쁘게 쌉니다. 토

끼 똥을 보면 토끼 길을 쉽게 따라갈 수 있습니다. 토끼 길을 따라 올라가자 잿빛 토끼는 한가롭게 앉아 놀고 있습니다. 토끼는 내가 있는 걸 전혀 무서워하지 않는 것 같습니다. 토끼는 앞다리가 짧아 비탈길로 내려가는 것을 잘 못합니다. 나는 토끼를 산 아래쪽으로 몰아서 잡을 생각입니다. 내가 "이놈!" 하고 소리치자 화들짝 놀라 아래로 뛰어 내려갑니다. 오늘은 토끼를 잡을 수 있을 것 같습니다. 한참을 내리 달리다가 손을 뻗어 토끼를 덮치려는 순간 무엇이 내 모가지를 획 낚아챘습니다. 바로 앞에 가늘고 긴 칭물개덩굴(이른 봄에 나는 잎을 나물로 먹고 쫀드기라는 열매가 달리는 가시덩굴)이 있는 것을 몰랐습니다. 목에서 귀밑까지 가시덩굴 자국이 시뻘겋게 나고 피가 맺혔습니다. 토끼는 나 잡아보란 듯이 산 위로 뛰어 올라갔습니다.

집에 오자 어른들은 나물을 뜯으러 갔다가 아가 큰일 날 뻔했다고 그래도 얼굴을 안 훌쳐서 다행이라고 약을 바르고 난리가 났습니다. 며칠이 지나서 워리가 토끼 새끼 한 마리를 살포시 물어다 내 앞에다 놓았습니다. 워리가 침이 함초롬히 묻은 토끼 새끼를 내려놓고 나를 쳐다보고 꼬리를 살래살래 흔

듭니다. 아마도 잘 키워보라고 하는 것 같습니다.

"워리야, 어디서 애기 토끼를 다 구했나? 아이구 장해라!"

산토끼는 어디서 새끼를 낳아 키우는지 아버지도 토끼 새끼를 본 적이 없다고 하십니다. 우리 가족은 어미 없는 어린 새끼를 많이 키워봐서 잘 키울 자신이 있었습니다. 아버지는 송판 죽데기를 모아다 톱으로 자르고 못을 박아 큼직한 직사각형 상자를 만들었습니다. 앞면은 닭장에 쓰던 철망을 대었습니다.

주먹보다 작은 토끼 새끼 한 마린데 온 가족이 풀을 뜯어 나릅니다. 동생은 토끼는 토끼풀을 먹어야 한다고 클로버만 골라 뜯어다 줍니다. 작은오빠는 산에 가서 칡덩굴을 한 짐 베어다 놓습니다. 할머니는 질경이만 뜯어다 주고 밭에서 일하시던 아버지는 사코리(씀바귀과 나물로 고들빼기보다 잎이 길쭉해 쌈으로 먹는 식물)를 뜯어다 주십니다. 조그만 토끼 한 마리가 사는 토끼장 앞에는 산더미같이 다양한 풀이 쌓였습니다. 조그만 토끼는 귀를 쫑긋거리며 오물오물 여러 가지 풀을 고루 잘 먹습니다. 우리 가족은 토끼가 너무 귀여워 "귀염둥이, 귀염둥이" 하고 부르다가 그냥 '둥둥이'라고 부르게 되었습니다.

작은 토끼를 보며 우리 가족은 행복했습니다. 보름쯤 되던 어느 날, 토끼 먹이를 주고 문을 잘못 닫았던 것 같습니다. 아침에 보니 토끼장은 비어 있었습니다. 온 가족이 이슬 내린 이른 아침 아기 토끼를 찾아나섰습니다.

작은오빠는 왼쪽 강냉이밭 속으로 "토끼야, 둥둥아~" 부르며 갑니다. 나는 콩밭 속을 "둥둥아, 둥둥아~" 부르며 콩 포기를 일일이 들춰보며 다녀봅니다. 온 밭을 다 돌아다닌 가족들이 비 맞은 것처럼 옷이 후줄근히 젖어서 그냥 돌아왔습니다.

이슬에 젖은 워리가 어디서 찾았는지 토끼를 살포시 물고 왔습니다. "야, 둥둥이 이 새끼. 세상에 누가 이렇게 잘해주나, 다시는 집 나가지 말그라." 더 맛있는 콩잎이나 새똥지(씀바귀 종류로 왕고들빼기라고도 함. 길가나 풀숲에 나고 여름에는 쌈으로 먹기도 하고 생절이로 무쳐 먹는 나물) 같은 나물을 넣어주고 문 단속을 잘했습니다.

둥둥이는 크는 게 눈에 보이는 것처럼 쑥쑥 자랍니다. 머지않아 새끼도 낳을 수 있을 것 같습니다. 새끼도 많이 낳으면 집을 늘리고 더 행복해질 것 같습니다.

어느 날 토끼장 문도 열려 있지 않은데 토끼가 보이지 않습니다. 잘 살펴보니 이빨로 토끼가 송판 사이를 갈아 틈을 넓혀 나갔습니다. 풀에 가려 빠져나갈 만큼 틈을 넓히는 것을 보지 못했던 것입니다. 아버지가 비둘기 마음은 항상 콩밭에 가 있다고, 산토끼 마음은 항상 산에 가 있으니 그냥 산으로 가서 잘 살게 내버려두라고 하셨습니다. 워리도 불러서 다시는 토끼를 찾아오지 말라고 당부하셨습니다.

보통은 어미를 모르는 새끼는 키우면 사람을 어미인 줄 알고 잘 따랐습니다. 둥둥이는 맛있는 풀만 골라 먹이고, 사람이 들여다보며 귀엽다 귀엽다 해도 곧 산으로만 가고 싶어 했습니다. 어미 없이 혼자서도 잘 사는 것을 그동안 가두어 징역살이를 시켰다고 아기 토끼한테 많이 미안했습니다.

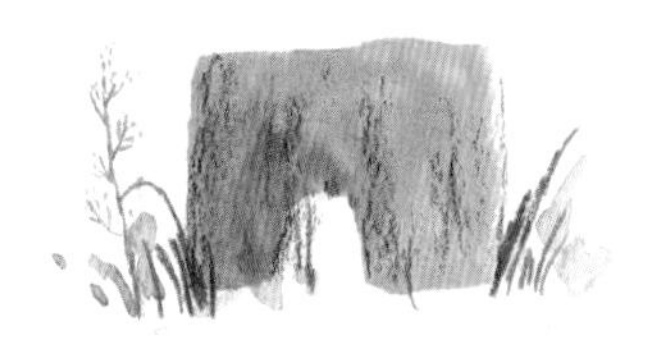

2부

가장 많이 웃고 울게 하다

사람 살리고 떠난 오리

암탉이 품어 낳은 오리들,
아이를 구하다

봄이 되니 암탉들은 3~4일 간격으로 알을 서로 품으려고 알 둥주리를 차지하고 내려오지 않습니다. 집오리는 알을 낳을 줄만 알았지 알을 품을 줄을 모릅니다. 닭이 대신 품어주지 않으면 새끼를 깔 수 없습니다. 그해는 오리를 좀 많이 키울 생각으로 토종닭 여러 마리에게 알을 안겼습니다. 토종닭은 알을 21개 정도 품을 수 있습니다. 계란보다 굵은 오리알은 15개 정도가 적당합니다. 닭이 오리알을 품은 지 28일이 되면 알에 실금이 가며 '삐삐…삑삑' 소리가 들리다가 알껍데기를 깨고 오리가 모습을 드러냅니다.

처음부터 예쁘게 태어나는 것은 아닙니다. 털이 짝 달라붙은 게 좀 무섭기도 하고 징그럽기도 합니다. 알껍데기를 깨고 나와 조금 지나면 보슬보슬한 예쁘고 앙증맞은 오리 새끼로 요술처럼 변신합니다. 튼튼하게 잘 크라고 첫 먹이로 계란 노른자를 먹입니다.

암탉은 제 새낀 줄 알고 꼬꼬거리며 부지런히 땅을 파 뒤집어 열심히 오리 새끼를 거둡니다. 며칠은 암탉 품에서 잠도 자고 추위도 피하지만 오리 새끼는 물만 보면 들어갑니다. 먹으라고 떠놓은 물통에 움직일 수도 없이 빽빽하게 들어가기 일쑤입니다.

오리 새끼가 아직 어리기는 하지만 강에 내보내기로 합니다. 집에서 강까지 한 500미터쯤 되니 한동안은 데려다주고 데려와야 합니다. 앞에서 먹이를 조금씩 뿌리며 쭈쭈 하며 갑니다. 오리 새끼들은 한 줄로 서서 '타다닥 타다닥' 뒤뚱뒤뚱 하며 따라옵니다. 암탉들도 꼭꼭 하며 강까지 함께 갑니다. 오리 새끼들은 물을 보자 뒤도 안 돌아보고 물로 들어가 파닥거리며 물을 뒤집어쓰고 놉니다. 어디서 이렇게 큰물을 본 적도 없고, 어미가 있어 교육받은 것도 아닌데 눈곱만큼의 무서움이나 망설임이 없습니다.

어린 오리들은 깊은 쪽으로 가지 않고 얕은 곳에서 송사리나 작은 고기, 올챙이, 물벌레를 잡아먹느라고 난리가 났습니다. 암탉들은 꼬꼬거리며 나오라고 나오라고 하지만 오리 새끼들은 아랑곳하지 않습니다. 암탉들은 며칠을 따라다니다 지쳐 어미 노릇을 포기하고 말았습니다. 해가 지면 강가에 가서 오리들에게 "쭈쭈~ 이제 해가 졌으니 집에 가자." 하면 용케

알고 몰려나옵니다. 하루 이틀 하다 보니 저녁이 되면 알아서들 돌아옵니다.

아침에 강까지 데려다주기만 하면 오리들은 물 위에 동동 떠다니며 알아서 놀다 집에 알아서 돌아오니 신경 쓸 일이 없었습니다. 까마귀나 매가 채러 내려오면 물속으로 쏙 들어가기 때문에 아무리 날쌘 새매도 오리 새끼는 채 갈 수 없습니다. 하루는 오리 새끼들이 집으로 들어오는 중에 족제비가 나타나 한 마리를 물고 갔습니다. 바쁜데 저녁에 오리들을 데리러 갈 생각을 하니 귀찮아서 하루는 워리에게 "오리 좀 강에 데려다주고 데려올래?" 했습니다. 다음 날 아침, 오리들이 집을 나서자 워리가 오리들의 뒤를 따라 강까지 데려다주고 오리들이 강에 들어가는 것을 보고 집으로 왔습니다. 해가 설핏하면 워리는 오리들을 집으로 데리고 와 닭장에 들어가는 것을 보고 제 집으로 갑니다.

오리도 한 달쯤 크니 멀리서도 오는 소리가 '타다닥 타다닥 타타다닥' 들려옵니다. 털도 갈색으로 청색으로 알록달록하게 변합니다. 5개월쯤 지나니 아주 큰 오리가 됐습니다. 손님이 오면 닭 대신 오리를 잡아주니 아주 좋아들 합니다. 여름내 잡

아먹고 팔기도 해서 용돈으로 쓰고 암컷 오리 아홉 마리에 수컷 오리 한 마리만 남겼습니다.

아시네 앞 강에서 놀던 재수네 오리가 여울을 타고 우리 집 앞 강에 와서 우리 오리와 함께 놀기 시작했습니다. 점두룩 섞여 놀다 저녁때 우리 집 암컷 오리 두 마리가 재수네 수컷 오리를 따라갔습니다. 한 번 따라가기 시작한 오리들은 매일 재수네 집에 갔다가 아침에 강으로 왔습니다. 할머니가 오리들이 못된 습관을 들였다며 오늘 저녁에는 가서 찾아다 가둬두라고 했습니다. 오빠들이 저녁을 먹고 오리를 찾으러 갔습니다. 재수네 집에 사람들이 많이 모여 오리들을 잡고 있었습니다. 그중에 죽은 한 마리는 우리 오리였습니다. 살아 있는 한 마리는 오빠들이 부르니 '꽥꽥 객객' 하면서 나옵니다. 재수네 아버지는 친척들이 모여 모르고 잡았다며 미안하다고 자기네 산 오리를 주면서 가져가라고 했지만, 오빠들은 살아 있는 오리만 안고 집으로 왔습니다.

아버지는 그래도 이웃 간에 큰 손해가 나지 않았으면 다투지 말라고 하십니다. 이러다가는 남 좋은 일만 시키겠다고 오리들을 다 치우기로 했습니다. 다음 날부터는 강에 내보내지 않았습니다. 오리들은 강에 가고 싶어 '꺅꺅꺅' 하며 별소리를 다 하며 종일 시끄럽습니다. 재수네 오리들도 가두었는지 다음 날부터는 우리 집 앞 강에 놀러오지 않았습니다. 장날이 되자 오리 한 쌍을 남기고 다 팔았습니다. 오리는 약이라고 하니 혹시 약으로 쓸 일이 있을지 모른다고 오리알도 먹을 겸 남긴 것입니다.

어느 날 학교 갔다 오는 길에 옥고개재 마루에서 해만이라는, 네 살 먹은 옆집 손주를 업고 허둥지둥 뛰어가시는 아버지를 만났습니다. 뒤에는 언나 엄마가 엉클어진 머리에 맨발로 따라갑니다. 그 집 할아버지도 따라갑니다. 그 집 의붓시어머니는 "요년, 우리 집 장손이 죽기만 해봐라. 너도 죽을 줄 알아." 욕을 하며 따라갑니다. 젊은 새댁이 빨래하느라 깜빡하고 양잿물 깡통을 덮지 않고 광문도 닫지 않았습니다. 해만이 광에 들어가 하얀 것이 맛있게 생겼으니까 입에 집어넣었나 봅니다. '으악' 소리가 나서 엄마가 달려가니 벌써 입에서 피가 흐르고 손에도 피가 나고 있었습니다. 해만이 할아버지가 우리 집으로 달려와 "찬호 아버지~ 해만이가 양잿물을 먹었소." 하고는 털썩 주저앉아 일어나지 못합니다.

아버지는 큰오빠 보고 얼른 오리들을 불러오라고 했습니다. 큰오빠가 안고 온 오리 두 마리를 모탕에 올려놓고 도끼로 사정없이 모가지를 팍 찍으니, 대줄기 같은 피가 축 뻗쳐서 받쳐놓은 양재기에 고입니다. 아버지는 오리 피를 들고 가서 아이를 확 뻿어 코를 쥐고 오리 피를 퍼 먹였습니다. 그러고는 아버지가 해만을 둘러메고 25리(10킬로미터) 되는 길을 달려갔습니다. 평창병원에서 의사가 해만을 보고, 양잿물 먹은 데는 오리 피 이상 좋은 약이 없다고 괜찮다고 그냥 가라고 하였답니다. 언나가 양잿물 덩어리를 입에 집어넣고 뜨끔하니 놀라서 빨리 뱉어내고 삼키지를 않아 입안에 상처만 나서 괜찮다고 했답니다.

해만이 할아버지는 고맙다고 오리들한테 미안하다고 오리 두 마리와 잘린 목까지 거두어 양지바른 곳에 묻어주었습니다. 우리 집 마지막 오리 두 마리는 큰일을 하고 세상을 떠났습니다.

워리는 저녁때가 되면 노을 진 강가를 서성거립니다. 이제는 오리가 없다고 얘기해줘도 워리는 사람들보다 오리를 더 그리워하는 것 같습니다.

한밤 자고 간 너구리

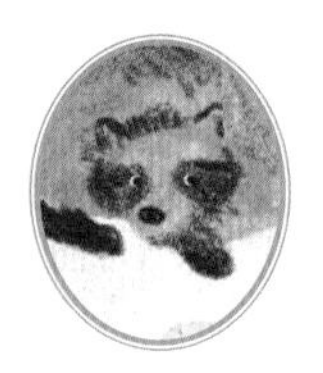

큰오빠가 데려온
희한하게 생긴 개

큰오빠가 중학교 1학년 겨울방학 때의 어느 날입니다. 하루는 막 뛰어오더니 말도 없이 빨래 장대를 들고 강으로 달려갔습니다. 무슨 일인가 싶어 가족들도 함께 강으로 달려가 보았습니다. 여울물이 끝나는 얼음물에서 어떤 사람이 나오려고 얼음을 짚으면 꺼지고 나오려고 또 얼음을 짚으면 꺼져 그저 허우적거리고 있었습니다. 허우적거리는 사람한테 긴 빨래 장대를 엎드려서 밀어주었습니다. 그 사람은 장대 끝을 두 손으로 잡고 큰오빠가 끌어당겨 겨우 나왔습니다. 아버지가 물이 금방 얼어붙어 뻣뻣한 사람을 업고 집으로 왔습니다.

안방으로 데려와 옷을 벗기고 아버지의 바지저고리로 갈아입히고 아랫목에 눕혀 이불을 있는 대로 다 모아 덮어주었습니다. 아랫목 병원에 입원한 겁니다. 안방 아랫목 병원의 의원은 어머니입니다. 환자에 따라 꿀물, 들기름, 조당숙(좁쌀죽)을 먹입니다.

어머니는 부엌에 불을 때고 조당숙을 멀겋게 끓여 얼음물에 빠진 나그네에게 훌훌 마시라고 갖다 주었습니다. 아버지는 눈 속에서 인동덩굴을 구해왔습니다. 어머니는 매달아놓았던 차조기와 꽈리, 밤, 대추, 인동덩굴을 넣고 아주 한 솥 달였습니다. 한참 푹 달인 다음에 건더기는 건져내고 꿀 약간과 흑설탕을 넣고 한소끔 끓였습니다. 감기 걸릴까 걱정돼서 얼음물에 빠진 나그네도 먹이고, 우리 식구들도 돌아가면서 한 술잔씩 마셨습니다. 어머니는 그 밤에 나그네의 옷도 빨아서 말려야 했습니다.

나그네는 깊이 잠들었습니다. 온 식구가 설렁거리며 드나들고 저녁을 먹으라고 해도 꿈쩍도 안 하고 잡니다. 아랫목이 너무 뜨거워 델까 봐 이불을 깔고 아버지와 큰오빠가 들어 옮겨도 모르고 잡니다. 이불도 가볍게 덮어주었습니다.

온 집안 남자들은 동생까지도 다 안방에 모여 나그네와 같이 잤습니다. 다음 날 해가 중천에 떴을 때 깨어난 나그네는 몸 둘 바를 몰라 합니다. 정신이 들고 보니 남의 집 안방 아랫목을 차지하고 집주인의 바지저고리를 입고 잤으니 오죽 민망스럽겠습니까.

알고 보니 큰오빠의 선배인 광세 선배의 큰형님이랍니다. 오리 사냥을 왔는데 여울물에서 놀고 있는 오리를 빵 쏘니 총에 맞은 오리가 떠내려가다가 얼음에 걸렸습니다. 겨울에도 흐르는 여울물은 얼지 않습니다. 우리 집을 중심으로 해 집 위쪽은 여울물이 흐르다가 우리 집 앞에서 여울이 끝나면서 잔잔하게 물이 고여 얼기 시작합니다. 여울물이 닿는 곳은 두껍게 얼지 못합니다. 그 얇은 얼음을 밟아 빠졌던 것입니다. 읍내에서 잘사는 광세 선배네 가족은 큰오빠가 생명의 은인이라고 어떤 친척 집보다 우리 집에 잘해주어서 아직도 교류하며 살고 있습니다.

첫 추위가 난 아주 을씨년스러운 저녁입니다. 첫 추위에 얼면 겨우내 춥다고 해서 일찍 제일 따뜻하고 넓은 안방에서 저녁밥을 먹고 있었습니다. 학교에 갔다 돌아오는 큰오빠가 희한하게 생긴 개 한 마리를 안고 안방으로 불쑥 들어왔습니다. 식구들이 깜짝 놀라 동시에 "에구머니나, 그게 뭐나!" 소리쳤습니다. 큰오빠는 얼른 아랫목에 포대기를 깔아달라고 합니다. 너구리가 뭣 때문에 강을 건넜는지는 모르지만 가려고 하니 젖은 털에 자갈돌이 달라붙어 움직이지 못하는 것을 돌을 떼고 안고 왔다고 합니다.

이번엔 너구리가 아랫목 병원에 입원했습니다. 너구리는 눈에 초점을 잃고 정신이 멍합니다. 넋이 나간 것 같습니다. 먹을 정신도 없는 너구리에게 메밀꽃차를 달여 약간 온기가 있을 때 수저로 입을 벌리고 떠먹였습니다. 너구리가 무엇을 좋아하는지 알 수 없어서 무시래기도 갖다 놓고 무도 먹기 좋게 토막 내서 갖다 놓았습니다. 또 이따가 고구마도 갖다 놓고 옥수수통도 따다 놓습니다.

사람이 아랫목 병원에 입원했을 때는 아버지와 오빠들이 함께 잤는데, 멀건 눈으로 사람이 무서워 벌벌거리는 너구리를 위해 방을 비워주었습니다. 우리 식구는 썰렁한 윗방에 모여서 안방 장지문 틈으로 너구리를 구경합니다. 식구마다 손가락에 침을 묻혀 장지문을 자기 키에 맞게 뚫고 구경합니다. 동생은 관찰 일기를 쓴다고 자기 앉은키에 맞게 문종이에 침을 발라 구멍을 내고 너구리를 살핍니다.

'너구리는 진한 회색에 눈 주위와 주둥이 부분은 검은색임.

다리 중간부터 검은색이 섞이면서 발과 발가락이 검은색임.

네 개뿐이 안 되는 발가락은 길고 발톱도 강해 보임.'

너구리 길이를 잰다고 두 손을 벌려 문구멍으로 재보고 빨리 자를 가져와 두 팔 사이를 재달라고 성화를 부립니다. 재보

니 한 50센티미터쯤 되는 것 같습니다.

할머니 이야기로는 세상 경험이 없는 어린 암놈 같다고 하십니다. 너구리를 처음 보는 것은 아니지만 이렇게 가까이서 보는 것은 처음입니다. 멀리서 볼 때는 너구리가 납작하다는 느낌을 늘 받았습니다. 가까이서 보니 너구리는 개보다 다리가 훨씬 짧아서 기어 다니는 것같이 보였구나 하는 것을 알 수 있었습니다.

시간이 지날수록 너구리가 있는 방은 누릿한 냄새가 납니다. 워리도 뒤란 쪽으로 난 뒷문 앞에 앉아서 코를 킁킁거리며 자지 않고 지키고 있습니다. 밤이 깊어지자 가족들은 온전히 눕지도 못하고 아무렇게나 웅크리고 쓰러져 잠이 들었습니다.

죽은 듯이 처박혀 있던 너구리는 인기척 없이 조용해지자 이것저것 허겁지겁 많이도 먹어 치웠습니다. 날이 훤히 밝아오자 너구리는 나가려고 여기저기 마구 긁고 다닙니다. 철없는 너구리는 문을 열어주자 꽁지를 주레찌고(말아 다리 사이에 끼고) 뒤도 안 돌아보고 뒷산으로 올라갔습니다. 따라가려는 워리를 타일러 가지 못하게 했습니다.

너구리가 있던 안방은 너구리가 벽을 긁어 벽지가 다 찢어

지고 방 안 구석구석에 오줌도 싸고 똥도 싸고 아주 난장판이 되었습니다. 하룻밤을 묵고 간 고약하고 체면 없는 손님 때문에 날도 추운데 모든 식구가 나서서 대청소를 했습니다. 문은 보기 흉하기는 하지만 뚫어지고 긁힌 자리 위에 그냥 문종이를 덧대 발랐습니다.

몇 십 년이 지난 지금도 우리 형제들은 모이면 하룻밤을 묵고 간 너구리가 잘 사는지 궁금해합니다. 암놈이니까 새끼를 낳아서 우리 집 뒷동산에서 그 후손이 지금도 잘 살고 있을 것 같다는 생각을 해봅니다.

어머니 따라 집에 온
네눈박이

들어와서 제집처럼 산

개와 재호

평창 장날입니다. 어머니가 장에 갔다 집으로 돌아오는 길이었습니다. 후평버덩(후평으로 가는 강가 넓은 들)을 지나는데 눈썹 위에 눈처럼 동그란 회색 점이 두 개가 있어 눈이 네 개처럼 보이는 네눈박이 검정 개 한 마리가 꼬리를 설렁설렁 흔들며 따라붙어, 사람들 틈에서 앞서거니 뒤서거니 하며 옥고개재를 함께 넘었습니다. 너무 천연덕스럽게 사람들 틈에 끼여 오니 다들 저 사람 개겠거니 하고 부지런히 집으로 향했습니다.

옥고개재를 넘으면 계장리입니다. 계장리부터 한 사람 한 사람 자기 집으로 들어갔습니다. 우리 집은 어두니골이니 최종적으로 어머니 한 사람만 남았습니다. 네눈박이는 멀쩡히 어머니를 따라 집으로 와서 제집인 양 아주 편안하게 헛간 구석에 들어가 누웠습니다. 후평리에 친척 집이 있어 혹시 개를 잃어버린 사람이 있으면 찾아가라고 소식을 넣어봤지만 아무도 개를 찾으러 오지는 않았습니다. 마땅히 어디 돌려보낼 데가 있는 것도 아니어서 그렇게 우리 집에 눌러살게 되었습니다. 할머니는 네눈박이가 새끼를 밴 것 같다고 합니다.

네눈박이가 우리 집에 들어온 지 한 달쯤 지나 어머니는 외갓집에 볼일이 있어 갔다 오는 길이었습니다. 외갓집은 주천면 판운리인데 차 시간을 아는 것도 아니고 걸어오다가 버스를 만나면 잠시 타고 오기도 하고 종일 걸어서 집으로 오기도 합니다. 그날은 차를 만나지 못해서 약수비리 진입구까지 아기를 업고 걸어서 오고 있었습니다. 조그만 머스마(사내아이) 하나가 타박타박 어머니 뒤를 따라 자꾸만 걸어오고 있더랍니다. 어디까지 가느냐 물었더니 자기의 이름은 재호고 평창까지 간다고 합니다.

마침 버스가 오는 것이 보여서 여비가 있느냐고 물으니 돈이 없다고 했습니다. '너, 나를 엄마라 하고 버스가 오면 같이 타고 가자'고 했답니다. 재호는 어머니 옷자락을 붙잡고 버스에 올랐습니다. 재호는 그렇게 처음 만나는 순간 어머니의 아들이 되어 같이 평창까지 왔습니다.

평창에 도착했을 때는 이미 해가 산마루에 걸려 있었습니다. 재호는 막상 평창까지 왔는데 갈 데가 없다고 "아줌마네 집에 가서 하룻밤만 자고 가면 안 돼요?" 했습니다. 어머니는 하룻밤만 재워주기로 하고 재호를 집에 데리고 왔습니다.

재호는 원주 근방 어느 동네에 산다고 합니다. 재호가 2학년 때 엄마가 돌아가시고 아버지가 새엄마를 얻었다고 합니다. 재호는 의붓엄마가 잘못도 안 했는데 때리고 밥도 주지 않아서 집에서 나왔다고 합니다. 우리 집에 온 재호는 일찍 일어나 소죽 끓이는 아버지를 도와 나무도 날라오고 불도 때며 집안일을 돕습니다. 어머니를 도와 밥상도 같이 차립니다. 작은오빠가 열네 살에 초등학교를 졸업했는데, 재호는 열세 살로 올해 5학년에 올라갈 차례라고 합니다. 나는 열한 살로 3학년을 휴학하고 아기를 보던 때였습니다.

재호는 제집처럼 아침을 먹고 눈치 빠르게 심부름하며 점심을 먹고 저녁을 먹습니다. 차마 가라는 소리를 할 수 없습니다. 네눈박이는 유독 재호를 졸졸 따라다닙니다. 네눈박이의 사연을 듣고 재호는 개도 의붓엄마한테 혼나고 집을 나왔을 거라고 합니다. 할머니는 "얄궂데이, 뭔 개도 아도 멀쩡히 들어와서 제집처럼 살라 하나." 하십니다.

그렇게 일주일이 흘렀습니다. 동네 사람들이 여럿 재호의 얘기를 듣고 자기네 심부름하는 아이로 달라고 합니다. 자기네가 일을 시키고 새경을 얼마를 쳐서 주겠다고 했습니다. 재호에게 다른 집으로 가겠느냐고 물었습니다. 우리 집에는 아들이 여럿 있으니 다른 집으로 가서 돈을 받고 일하는 게 좋겠다고 이야기했습니다. 재호는 다른 집으로 가지 않겠답니다. 다른 집보다 조금만 줘도 좋으니 우리 집에 있겠다고 합니다. 할 수 없이 가을에 쌀 한 가마니를 주기로 하고 우리 집에서 일하기로 했습니다. 자기 생일이 시월 보름날이니 자기는 시월 열나흗날에 집으로 가 아버지와 형과 같이 생일을 보낼 거라고 했습니다.

재호는 덩치도 크지 않은데 당차게 꾀를 부리지 않고 일을 잘합니다. 넉살 좋게 "어머니, 아버지." 하고 오빠들보고는 "형아, 형아." 하고, 나보고는 꼭 "오빠가." 하며 오빠 노릇을 했습니다. 동생한테는 형 노릇도 꼬박 했습니다. 재호는 아는 것이 많았습니다. 한 달에 한 번은 원주에 있는 큰 책방에 가서 책 한 권을 사고 종일 만화책을 읽고 왔다고 합니다. 이다음 자기네 집에 갔다 올 때는 만화책도 갖다 주고 과자도 많이 사다 주겠다고 합니다.

재호는 먹을 것이 있으면 네눈박이부터 챙깁니다. 어디를 지나가다 새가 크게 울어도 "재는 의붓엄마한테 맞았나, 왜 저리 우나." 합니다. 심지어는 길을 가다 고양이가 혼자 가는 것을 보아도 의붓엄마한테 쫓겨난 것 아닌가 하며 돌아보고 돌아보고 합니다.

네눈박이는 새끼를 다섯 마리나 낳았습니다. 우리 집에서는 네눈박이라고 부르지만 다른 사람들은 복덩이라 불렀습니다. 어디서 키우지도 않은 개가 굴러와서 새끼까지 낳았다고 붙인 이름입니다.

너도나도 앞다퉈 복덩이 새끼를 달라고 했습니다. 적어도 한 달 반은 키워야 하는데 겨우 한 달이 되자 자기네 차지가 오지 않을까 봐 일찍들 가져가 버렸습니다. 재호는 제일 예쁘고 잘생긴 강아지 한 마리를 자기가 집에 갈 때 가져간다고 맡아놓았습니다. 이웃집 아주머니가 지금부터 키우면 집에 갈 때쯤 큰 개가 된다고 자기를 주고 다음에 새끼를 낳으면 가져가라고 재호를 달랬습니다.

네눈박이는 재호가 집으로 가기로 한 보름 전에 또 새끼를 낳았습니다. 이번에도 제일 예쁘고 잘생긴 강아지는 재호가 맡아놓았습니다. 재호는 안달했습니다. 갈 날이 다가오는데 강아지는 빨리 크지 않습니다. 작은오빠는 "뭐 세월이 좀먹나.

좀 더 있다가 강아지가 크면 가져가면 되지." 합니다. 재호도 그럴까 하는 생각을 하는 것 같습니다. 혹시 알 수 없어서 미리 옷을 한 벌 사고 쌀 한 가마니 값을 챙겨놓았습니다. 시월 열사흗날이 되자 내일 집으로 꼭 가겠답니다.

할머니와 어머니는 재호를 보낼 준비로 바빠졌습니다. 종일 옷가지를 챙기고 밤중에 떡을 쪘습니다. 그 시절 떡은 최고의 대접이었습니다. 재호는 개들과 이별하느라고 헛간에서 많은 시간을 보냅니다. 재호는 시월 열나흗날 짐을 다 챙겨 떡 보따리를 메고 떠났습니다. 다시 올 때 그동안 약속한 것을 갖고 강아지를 데리러 오겠다고 많이 섭섭해하며 갔습니다.

골뱅이 먹고 살아난
캐리

몸이 아파
오랫동안 곁에 있던 개

나는 스물두 살 겨울에 장티푸스에 걸려 몇 달을 앓아누운 적이 있었습니다. 어느 날인가 보니 창호지 문살 위 세 칸에 해가 비치고 있었습니다. 시계를 보지 않아도 오후 3시인데, 내일 오후 3시면 내가 죽는다는 생각이 들었습니다. 다음 날 작은 문살 세 칸에 해가 비추는 것이 보입니다. 다행입니다. 하고 싶던 공부도 할 수 없었고, 여태껏 살면서 한 일도 없고, 살아서 특별히 할 일도 없는데, 지금 죽는 것이 아주 다행스럽고 행복했습니다.

내가 죽은 후 얼마나 지났는지 아주 넓은 비포장도로에 흰옷을 입은 사람들이 모여서 꽃가마를 꾸미고 있었습니다. 나 혼자만 파란 한복을 입고 구경했는데 눈 한 번 깜빡하고 떴더니 그 많은 사람들이 하얀 꽃가마를 타고 하늘 저 멀리 떠가고 있었습니다. 나만 가지 못한 것이 억울해서 내 복에 꽃가마도 못 타고 갔다고 통곡했습니다.

혼수상태에서 열흘 만에 깨어났다고 했습니다. 나중에 생각하니 그것은 꽃가마가 아니라 행상이었습니다. 죽어도 좋겠다고 생각했는데 그래도 살아나 보니 열심히 잘 살아봐야겠다고 생각하게 됐습니다.

머리가 홀라당 다 빠진 괴상한 몰골로 어머니를 도와 살림을 시작한 봄이었습니다. 친척 집이 시내로 이사하면서 강아지 두 마리를 우리 집에 주었습니다. 누런색에 다리가 길고 눈이 유난히도 동그란 수놈과 예쁘기는 한데 비실비실한 암놈을 주고 갔습니다. 수놈은 다리가 어청한 것이 높게 생겨서 '높이'고 암놈의 이름은 '캐리'라고 합니다. 이미 '워리'라는 개도 키우고 있지만 거저 주고 간다니까 한여름 키워서 팔면 되지 하고 받아놓았습니다.

밥을 주자 높이가 캐리한테 슬금슬금 다가가더니 캐리를 쓰윽 밀어제치고 캐리의 밥을 먹어 치웁니다. "높이 너 아주 못된 버릇을 하는구나. 둘이 같이 왔으면 잘 지내야지 무슨 짓이나." 밥을 주고 지키지 않으면 캐리는 밥을 얻어먹을 수가 없습니다. 캐리는 스트레스를 받아서인지 뒷발이 뒤틀려 돌아가기 시작합니다. 할머니는 "그러다가 낫겠지, 개 병신은 없단다." 하십니다.

높이는 밥을 많이 먹어서인지 눈에 보이게 잘 자랍니다. 이제 캐리는 자기 혼자서는 잘 움직이지 못합니다. 밥도 수저로 떠 넣어줘야 겨우 먹을 수 있습니다. 밤이면 캐리를 부엌에 자리를 깔고 들여다 재웁니다. 그저 놓아두면 그 자리에서 뜨거우면 뜨거운 대로 추우면 추운 대로 꼼짝도 하지 못해, 사람 손이 가지 않으면 안 됩니다. 똥오줌을 그 자리에 그대로 싸고 뭉갭니다. 캐리는 무슨 벌레처럼 기어 다닙니다. 주둥이가 새처럼 뾰족하게 변해버렸습니다.

아주 청명한 날, 캐리에게 밥을 숟가락으로 떠먹여 마당에 내다 놓고 온 가족이 밭에 일하러 갔습니다. 갑자기 빗방울이 후드득 떨어집니다. 집으로 뛰어오는 동안 소낙비가 마른하늘에 날벼락처럼 쏟아집니다. 캐리는 대추나무 밑에서 비에 쫄딱 젖어 죽은 것처럼 누워 있었습니다.

수건으로 캐리의 털을 닦고 부엌에 불을 때며 말려주었습니다. 그날부터 캐리는 아주 식음을 전폐하고 숟가락으로 떠 넣어주는 것도 먹지 않으려고 합니다. 짐승을 잘 키워야 살림이 인다(살림이 불어난다)고 합니다. 내가 병들었을 때 어머니가 온갖 정성을 다해 나를 살려내셨습니다. 나도 캐리를 꼭 살려내겠다는 일념으로 온갖 정성을 다해봅니다. 좁쌀죽을 쑤어

먹여봅니다. 참깨도 갈아 아주 멀겋게 죽을 끓여 캐리의 입을 벌려 억지로 먹여봅니다.

애기 똥을 먹으면 낫는다고 해 할머니가 이웃집 애기 똥을 비료 포대 종이에 싸 가지고 와서 '예지랑이 수저'(솥바닥, 감자 등을 긁는 데 써서 반쯤 닳은 수저)로 떠먹여도 보았습니다. 어죽을 끓여 먹여보지만 그것도 먹을 생각을 안 합니다.

하루는 저녁을 일찍 먹고 강에 골뱅이를 건지러 갔습니다. 큰물이 지고 난 후라 아직 물이 많아 골뱅이 잡기가 수월치 않았습니다. 한참 강가를 따라 올라가니 메밀달개미(메밀껍질)를 쏟아놓은 것같이 까만 물웅덩이를 만났습니다. 자세히 보니 그것은 골뱅이 새끼들이었습니다. 큰 것으로 골라 한 움큼 건져다가 삶아 국물을 조금 떠먹이니 캐리가 받아먹고 입맛을 다십니다. 그날부터 매일 저녁 골뱅이를 한 움큼 건져다가 삶아 국물도 먹이고 골뱅이도 먹이길 한 달쯤 되니 캐리가 열심히 기어 다니기 시작합니다. 며칠이 지나니 일어서려고 애쓰는 것이 보입니다. 어느 날인가 일어서고 걷게 되었습니다.

캐리가 병을 앓는 동안 높이는 기름이 자르르 흐르는 아름다운 큰 개가 되었습니다. 복 때가 되자 높이를 팔았습니다. 캐리는 병줄이 놓이자 밥을 잘 먹고 아주 조금씩 개의 면모를 갖추어갑니다. 눞이가 보이지 않으니 마음이 편해서일지도 모른다는 생각이 듭니다.

너무 병치레를 해서인지 많이 크지도 못하고 그리 예쁘지도 않습니다. 그런 녀석이 내가 어디를 가든지 그림자처럼 따라다닙니다. 밥할 때면 부엌 앞에 쪼그리고 앉아 꼼짝도 안 합니다. 봄이 되자 일찍 새끼를 가졌습니다. 무거운 몸을 하고도 내가 산에 나물을 뜯으러 가면 산까지 따라왔습니다. 한번은 나물을 뜯어 비탈길을 내려오는데 갑자기 짖으면서 나를 밀쳤습니다. 넘어지면서 보니 뱀이 몇 발짝 앞에서 쏜살같이 도망가고 있었습니다. "캐리야, 고맙다. 캐리야, 고맙다"를 연발하면서 쿵쿵 뛰는 가슴을 진정시켰습니다.

초여름에 캐리는 조그만 체구에 새끼를 아홉 마리나 낳았습니다. 할머니는 "어멈아, 사골이라도 하나 사다 사람도 먹고 캐리도 먹이자"고 하십니다. 캐리 덕에 온 가족이 사골국을 먹게 되었습니다. 한참을 우린 사골에 쌀뜨물을 붓고 푹 끓이다가 죽을 끓입니다. 사골은 몇 번을 고아도 기름이 계속 나옵니다. 모두의 염려와는 달리 캐리는 잘 먹고 젖도 흔하고 아주 열심히 새끼를 돌봐서 아홉 마리나 되는 강아지를 잘 키워냈습니다.

개를 판 돈으로는 세금을 물면 못살고 그릇을 사면 잘 산다고 합니다. 캐리는 그렇게 새끼를 낳기 시작하고 여러 해 동안 봄가을로 1년에 꼭 두 번씩 새끼를 낳았습니다. 어머니는 강아지를 팔아서 그릇을 사기 시작했습니다. 주부들의 눈을 번쩍 뜨이게 하는 스텐 그릇이 나오기 시작할 때였습니다. 제사 때마다 닦지 않아도 번쩍번쩍하는 스텐 그릇을 제사상에 올리고 좋아들 하였습니다. 큰일을 치를 때는 동네 그릇을 빌려다 쓰곤 했습니다. 우리 집은 캐리가 새끼를 낳을 적마다 '세신' 스텐 대접을 사 모아서 할머니 장례 때도 큰오빠 잔치 때도 그릇을 빌리지 않고 큰일을 치를 수 있었습니다.

콩잎을 다 먹은,
장수한 만복이

말을 잘
알아듣는 소

어머니가 갑자기 “우리 저녁에 밥 안 먹기 운동을 하자.” 하십니다. 아니 밥을 안 먹고 어떻게 살아요! 아주 끼니를 안 먹는 것이 아니고 저녁은 쌀로 밥을 안 해먹기 운동을 하자는 거지. 그거 어떻게 하는 건데요? 가을에 햅쌀이 나올 때까지 여름 동안 하루 저녁은 감자를 찌고 국수 하고 또 다음은 올챙이묵 하고 부치기(부침개)를 하고.

왜 그래야 하는데요? 다른 곡식보다 쌀값이 비싸서 쌀을 팔아야 돈이 되기 때문입니다. 다수리 집으로 이사하느라고 빚을 좀 졌습니다. 봄 농사가 끝나자 소를 팔아 빚을 갚았습니다. 당장 소가 없으니 허전하고 내년 농사일도 걱정돼 쌀을 팔아 송아지를 사서 키울 생각이랍니다.

여름 양식은 보리와 감자가 주식입니다. 여러 날 저녁상에 밥이 올라오지 않자 무슨 일이냐고, 왜 요즘 저녁에 밥 구경을 할 수 없냐고 아버지가 묻습니다. 어머니는 저녁에 밥 안 먹기 운동을 하는 중이라고 하십니다. 아버지는 내 생전에 새마을 운동 얘기는 들어봤어도 저녁에 밥 안 먹기 운동 소리는 처음

들어본다고 하십니다. 여름 동안 제사가 몇 번이고 생일이 몇 번이고 언제 손님이 오고… 하며 꼼꼼히 따져 먹을 쌀을 계산해 남기고 장날이 되자 쌀을 몽땅 팔았습니다.

장날 저녁입니다. 어머니는 돈뭉치를 아버지 앞에 내놓으며 송아지를 사자고 하십니다. 돈이 어디서 났냐고 하시니 여름 동안 먹을 쌀을 팔았다고 합니다. 아버지는 돈을 세보고는 이 돈으로 송아지를 사기에는 어림도 없다고 하십니다. 그래도 대화장에 가보자, 욕심 부리지 말고 송아지라고 생겼으면 개만 하더라도 사오자고 하십니다.

대화장이 서는 날입니다. 우시장에는 여자들이 가면 재수가 없다고 해 어머니는 멀리서 바라만 보고 아버지가 들어갔습니다. 젖 뗄 때가 된 송아지와 어미 소가 나왔습니다. 어떤 사람이 어미 소와 송아지를 다 사기는 벅차서 망설이고 있었습니다. 아버지가 송아지만 따로 살 수 있었습니다.

아버지는 미리 준비해간 목줄을 매고 송아지에게 마지막으로 어미젖을 먹게 합니다. 송아지는 어미와 떨어지지 않으려고 '움매매~ 움매매매~' 빽발을 주고 따라오려 하지 않습니다. 어미 소도 '음메메~ 음메메~' 큰 소리로 웁니다. 어미도 송아지도 떨어지지 않으려고 그 큰 눈에서 눈물이 흘러내립니다. 끝내 소 주인도 눈물을 흘리면서 약국에 가 젖병을 사다 소젖을 짜서 담아주었습니다. 눈시울이 벌게진 우시장 사람들을 멀리하고 장사꾼들의 도움을 받아 따라오지 않으려는 송아지를 끌고 나섰습니다.

멀리서 보던 어머니가 빨리 쫓아가 송아지를 아버지와 둘이 안아 들고 우시장에서 멀리 떠났습니다. 어떻게 집에 가나 난감해하는데 다행히도 평창에서 화물차를 하는 아는 사람을 만났습니다. 그가 옥고개재 밑까지 태워줘서 그나마 수월하게 올 수 있었습니다.

어머니가 송아지를 안고 몇 발짝 오다가 또 아버지가 안고 몇 발짝 옮기고 그렇게 옥고개재 엉털재(엉글멍들 큰 돌덩이로 형성된 고갯마루)를 넘었습니다. 어머니가 뒤에서 밀고 아버지가 끌고 쉬엄쉬엄 오느라고 밤중에야 집에 올 수 있었습니다.

송아지는 아무것도 먹으려고 하지 않습니다. 젖병을 빨려고도 하지 않습니다. 어머니는 바쁜 일을 전폐하고 송아지를 돌봅니다. 콩을 갈아 콩물을 만들어 손가락에 묻혀 입에다 발라 줍니다. 어머니는 정말로 언나를 기르는 심정으로 송아지한테 이야기합니다. "너는 그냥 송아지가 아니고 우리 가족이여. 너는 우리 집에 만복을 가져올 놈이여. 네 이름도 만복이라 부를 거여. 내가 우리 만복이한테 잘할 테니 제발 잘 먹고 힘을 내라, 응…?" 힘없이 누워 눈물만 흘리는 송아지 곁을 떠나지 않고 숟가락으로 입을 벌려 콩물을 떠서 넣어주기도 하고 입에 죽을 썩썩 발라주기도 합니다. 송아지는 반항하면서도 입에 붙은 것을 핥아 삼킵니다. 수건을 적셔 눈물도 닦아주고 얼굴도 닦아줍니다.

어머니는 부엌에다 멍석을 깔고 매일 송아지를 안고 밤을 보냅니다. 온 가족의 신경이 송아지한테 가 있습니다. 어린 동생들까지도 연한 풀을 뜯어 나릅니다. 어머니는 송아지를 데리고 수없이 이야기를 합니다. "너는 이제 젖을 그만 먹을 때가 됐어. 언제까지 어미젖만 먹고 사는 것이 아니여."

며칠이 지나자 송아지는 알아들었는지 콩물을 먹기도 하고 어린 풀잎이나 상추 같은 채소도 먹기 시작합니다. 여름이면 방에 불을 때지 않으려고 마당에다 네거리(냄비 등을 올리기 위해 불 위에 걸치는 도구)를 걸고 밥을 해 먹습니다. 부엌에 불을 때는 것보다 나무도 적게 들고 넓은 마당이 시원해서입니다.

만복이는 밥하는 어머니 엉덩이 옆에 붙어 앉아 있습니다. 저리 좀 비키라고 해도 막무가내로 어머니 곁에서 떨어지지 않습니다. 워리도 덩달아 어머니 곁에 붙어 앉습니다. "워리야, 덥다. 너까지 왜 안 하던 짓을 하나?" 그래도 끄떡도 안 합니다. 만복이처럼 어머니 곁에 붙어 앉아 있어야 사랑받는다고 생각하는 모양입니다.

끼니는 어떤 음식보다 밥을 하는 것이 빠르고 쉽습니다. 하지만 만복이를 사느라고 쌀을 다 팔았기 때문에 저녁에 밥을 할 수 없습니다. 그렇다고 날마다 똑같은 음식을 할 수도 없습니다.

하루 저녁은 감자 부치기와 배추죽을 해서 먹었습니다. 일을 많이 하는 가족에게 저녁을 소홀히 먹일 수 없어, 오후에는 저녁을 하는 데 시간을 보냅니다. 저녁 반찬을 하려고 콩잎을 한 바가지 뜯어다 놓고 잠깐 볼일 보는 사이에 만복이가 콩잎을 홀라당 먹어버렸습니다. 그래도 "아이구, 우리 만복이가 콩잎을 한 바가지 다 먹었어. 아이구 장해라!" 하며 머리를 쓰다듬어줍니다.

"뭔 소 새끼가 아무거나 먹지 않고 사람하고 똑같이 먹고 살려고 하나, 저놈의 소 새끼 일찌감치 팔아 치우라"고 아버지는 역정을 내십니다. 어머니는 무슨 죄인처럼 쩔쩔매면서 이 보라고 풀을 이렇게 잘 먹는다고, 아버지 보는 데서 연한 풀을 준비했다가 먹입니다. 어머니는 평생 소죽에도 소금을 타서 찍어 먹어보고 간을 맞추어 소에게 먹였습니다.

또 어느 날 저녁은 올챙이묵을 하고 감자를 찌느라고 분주합니다. 할머니는 저녁마다 별식을 장만하느라고 애쓰는 어머니가 무척 안쓰러워 한마디 하십니다. "어멈이 뭔 죄 졌나."

한여름 고군분투한 결과 만복이는 많이 커서 마구간에서 먹고 자게 되었습니다. 아버지는 추운 겨울이면 밤중에 일어나 소죽을 끓여 먹이고 덕석도 덧입혀주셨습니다. 어머니나 아버지나 온 식구가 짐승을 무척 애지중지 키워냈습니다. 다음 해가 되자 만복이는 코뚜레를 하고 아버지가 제일 가볍다는 버드나무로 만든 멍에를 지고 일을 시작했습니다. 만복이는 암소인데도 덩치가 황소 못지않게 탄탄하고 컸습니다. "이랴! 이랴 어더더더~ 어디 어디 똑바로 가자. 위로 올라서고~." 초성 좋은 아버지는 항상 구성지게 소리를 하며 밭일이나 논

일을 하셨습니다.

만복이는 사람처럼 말을 잘 알아듣습니다. 만복이는 안 된다는 것은 절대 하지 않습니다. 한 번 가본 논이나 밭을 기억합니다. 작은오빠는 연장을 어깨에 메고 만복이 뿔에다 고삐를 감아 앞장세우고 갑니다. 가다가 사람들을 만나면, 만복이에게 "오늘 학교 앞 논으로 가니까 먼저 그 논에 가서 기다려." 합니다.

만복이는 서두르는 법 없이 뚜벅뚜벅 걸어서 학교 앞 논에 가서 기다립니다. 만복이는 논을 삶는 일(모내기 전 논바닥을 부드럽고 고르게 펴주는 것)이나 써레질도 아주 탁월하게 잘합니다. 논을 삶는 것은 흙탕물 속에서 하는 일이기에 물 밑이 안 보여서 하기 어렵습니다. 써레질은 써레로 모를 심을 수 있도록 흙탕물 속에서 논바닥을 고르게 하는 작업입니다.

자칫하면 사람도 어디만큼 일했는지 헷갈릴 때가 있습니다. 만약 써레질을 건너뛰면 생땅이어서 나중에 모를 심을 때 괭이로 파든가 해서 심어야 하는 번거로움이 생깁니다. 만복이는 한 번도 실수 없이 정확히 논을 잘 다듬었습니다.

일이 끝나면 다시 뿔에 고삐를 감아 집으로 보냅니다. 만복이는 서두르지 않고 뚜벅뚜벅 걸어오다가 다른 소가 논에서 일하는 모습을 구경합니다. 천방지축 삐뚤삐뚤 일을 못하는 소를 보면 '히이이~' 비웃습니다.

"의여라 방아여~ 우우우~" 사람들은 방아타령을 하며 모를 심습니다. 만복이는 선창할 때는 듣기만 하다가 "우우우~" 소리가 나오면 고개를 끄떡거리며 겅중겅중 뛰며 놀다가 집으로 옵니다. 작은오빠는 은근히 으쓱거립니다. 일부러 연장을 메고 만복이를 따라오면서 사람들과 이야기도 하고 놀며 옵니다.

건강한 만복이는 예쁘고 잘생긴 송아지를 해마다 낳았습니다. 어머니는 새끼 밴 소는 잘 먹어야 한다고 자다가도 일어나 먹이를 줍니다. 송아지가 태어나면 어미 소는 잘 먹어야 한다고 따로 죽을 끓이느라고 쉴 틈이 없습니다.

송아지는 나자마자 털도 마르기 전에 벌떡 일어섭니다. 유난히도 눈이 크고 뽀얀 털을 가진 송아지는 어청한 다리로 앞다리에 힘을 주고 뒷다리로 땅을 차며 껑충껑충 뛰기를 잘합니다. 송아지는 신이 나면 아무 때고 논이나 밭에 들어가 뛰어서 말릴 수가 없습니다.

만복이가 일하러 다닐 적에는 어미 뒤를 따라가는 송아지를 뒤에서 워리가 따라가며 이탈하지 못하도록 막아주었습니다.

송아지가 태어난 지 두 달쯤 되면 어머니는 송아지에게 따로 죽을 끓여놓고 수시로 먹입니다. 송아지가 너무 오래 젖을 먹어 어미 소가 상할까 봐 미리미리 젖을 뗄 준비를 해서 쉽게 젖을 뗍니다.

동생도 초보 농부로 농사일을 본격적으로 시작할 때입니다. 아버지처럼 소리를 하며 밭갈이를 하고 싶은데 멋쩍어 소리가 나오지 않습니다. 아버지도 연세가 많고 작은오빠도 장가가서 살림을 나갔습니다. 만복이는 동생의 암소가 되었습니다.

그즈음 온 동네를 소가 길길이 뛰어다니는 모습을 자주 볼 수 있었습니다. 만복이가 부러워서 동네 사람들이 자기네 소도 뿔에 고삐를 감아 앞장세워봅니다. 소들은 온 동네를 질주합니다. 갑자기 소가 나타나서 길 가던 사람들이 논으로 뛰어들기도 하고 온 동네가 소동이 벌어질 때도 있습니다. 식구가 나서서 소를 잡아오느라고 난리가 났습니다.

뭔 소를 언나처럼 키우느냐고 제일 흉을 많이 보던 진수네 형제도 자기네 소의 뿔에 고삐를 감아 앞장세웠습니다. 소가

냅다 뛰어서 하일 다리를 건너갑니다. 하일에 사시는 친척 집 할머니가 우리 집에 오시려고 손주를 데리고 다리에 막 올라서는데 소가 달려오고 있었습니다. 할머니는 급한 마음에 손주를 안고 껑충 뛰어내려서 다리 밑에 숨었습니다. 소는 다리를 건너 버들방천(버드나무가 많은 하일 쪽 넓은 강가를 부르는 이름)으로 들어가 멀쩡히 풀을 뜯어 먹습니다.

그래도 하일 동네로 들어가지 않아서 다행입니다. 진수네 형제가 왔을 때는 다리 밑에서 할머니가 다리를 삐어서 절름거리며 손주를 안고 나오고 있었습니다. 그만하길 다행입니다. 하마터면 할머니와 손주가 큰 변을 당할 뻔했습니다.

우리 집은 논이고 밭이고 만복이의 발끝이 닿지 않은 곳이 없습니다. 만복이는 해마다 암송아지보다 황송아지를 많이 낳았습니다. 황송아지는 성장이 빨라서 해마다 팔아 우리 집이 부자가 되는 데 보탬이 되었습니다.

아버지는 자기 평생에 어두니골에서 키웠던 삐루갱이 다 파먹었던 암송아지와 만복이와 워리는 짐승이 아니고 사람이나 진배없다고 늘 얘기하십니다. 자들(재들)이 우리 집을 밥술이나 먹고 살게 하였다고 하십니다. 손톱 발톱이 다 닳도록 키워

낸 어머니가 늘 고맙다고 하셨습니다.

나는 어머니와 저녁밥 안 먹기 운동에 동참하고 만복이와 같이 살다가 시집을 갔습니다. 아버지는 사위를 보고 "여보게, 만복이가 살다가 죽으면 장사 지내주려네." 하셨습니다. 우리 아들딸들도 친정에 가면 만복이를 볼 수 있었습니다. 만복이는 내 자식들도 무척 반가워하는 것 같았습니다.

만복이는 보기 드물게 장수해 35년을 살았습니다.

울타리 넘어 도망친
돼지

짐승들 성격도,
먹이 주는 법도,
다 다른 시댁

스물일곱에 충북 제천 고암이라는 동네로 시집갔습니다. 그때 시절에 시골 풍습으로는 소문난 노처녀였습니다. 무슨 약속이나 한 것처럼 큰오빠가 스물일곱 살에 결혼하고 작은오빠도 스물일곱 살에 했습니다. 세 살 터울이어서 차례를 기다리다 보니 나이가 먹었습니다. 사람들은 좋은 자리에 중매한다고들 하는데 내가 어중되게 생겨서 시집갈 데가 마땅치 않았습니다. 내 생각에는 축산을 하며 농민 후계자로 살고 싶었습니다.

우연히 중매쟁이의 중매로 지금의 남편을 만났습니다. 만날 당시 남편은 공무원이었습니다. 부모님은 내가 농사짓지 않고 살기를 바랐는데 잘됐다고 쾌히 승낙했습니다. 그런데 남편은 초등학교 4학년 때부터 한국의 루서 버뱅크(미국의 원예개량가)가 되는 것이 꿈이었다고 합니다. 자기는 결혼하면 가축을 기르며 농사지을 거라고 조심스럽게 이야기했습니다. 농사일에 자신 있는 건 아니지만 나는 짐승을 키우는 일이라면 자신이 있었습니다.

남편은 결혼하기 전 돼지 새끼 아홉 마리에, 일반 돼지 새끼의 세 배 값을 주고 종묘 돼지 한 쌍을 사놓았습니다. 소도 한 마리 있고 비쩍 마른 해피라는 개도 한 마리 있었습니다. 재양길(첫 친정 나들이)을 왔다가 시집으로 돌아가자마자 까맣고 예쁜 돼지 새끼들이 줄줄이 마중을 나왔습니다. 나는 치렁거리는 한복을 벗을 새도 없이 돼지 몰이에 동참했습니다.

시집 가족의 성격은 친정 식구들과 많이 달랐습니다. 사람들 성격만 다른 게 아니라, 짐승들 성격도 묘하게 달랐습니다. 짐승에게 먹이를 주는 방법도 짐승을 파는 방법도 달랐습니다. 모든 게 달라도 너무 달랐습니다. 친정에서는 채소와 여러 재료를 썰고 다지고 끓이고 섞어서 주었습니다. 시집에서는 겨 따로, 물 따로 먹이를 주었습니다. 친정에서는 짐승들이 예쁘다고 착하다고 하면 눈을 껌벅거리며 사람을 보면 웃을 줄도 알고 말귀를 잘 알아들었습니다. 굳이 줄을 매지 않아도 우리를 뛰어넘거나 말썽을 부리지 않고 잘 자라주었습니다. 속상한 일이 있어도, 일이 힘들어도 짐승들을 보면 웃음이 절로 나고 사랑스럽고 위안이 되었습니다.

시집에서 키우는 돼지는 높이가 1.5미터쯤 되는 우리를 매일 뛰어넘었습니다. 온 식구가 동원돼 잡아 가두고 다시는 뛰어넘지 못하게 단속합니다. 종묘 돼지는 주둥이가 뭉툭하고 다리도 어청한 것이 보면 잘생겼다 하는 마음이 듭니다. 까만 털이 윤기가 흐르고 다른 돼지들보다 멋있고 성장이 빨랐습니다. 힘이 넘쳐 높은 울타리를 뛰어넘어 큰길로 나가서 달리는 차 앞을 건너가기도 합니다. 열한 마리의 돼지들은 누가 하나 탈출하기 시작하면 모두 같이 탈출합니다. 시아버지는 돼지 때문에 화가 많이 나셨습니다. 차에 치일 뻔해 기사한테 욕을 많이 먹은 날, 시아버지는 큰 막대기로 정말 죽일 듯이 돼지를 때렸습니다. 길바닥에 쓰러진 것을 안아다 우리에 넣었습니다. 시아버지는 "야야, 물 끓여라. 죽으면 튀해서 가족이 뜯어 먹자." 하셨습니다.

신혼방에는 집 뒤로 별도의 부엌이 하나 더 있었습니다. 죽을 것같이 벌렁벌렁 숨만 쉬는 돼지 새끼를 부엌 바닥에 짚을 깔고 이불도 깔고 덮어주었습니다. 밤에 불을 때며 미음을 끓여 수저로 떠먹였습니다. 약이 되는 사과를 사다가 숟가락으로 긁어 먹이기도 했습니다. 돼지가 아플 때는 사과가 특효약이었습니다. 술을 좋아하는 시아버지는 술에 취해 들어와 "야야, 물 끓여라." 하십니다.

“아버님, 아직 안 죽었는데요.”

“그래?”

간호하기 나흘째 되는 날, 큰시누이가 다니러 왔습니다. 숟가락으로 돼지에게 미음을 먹이는데 “언니, 뭐 해?” 합니다. 돼지가 우리를 뛰어넘었다고 하니, “언니, 그런 거 유도 아니야. 새끼 아홉 마리 딸린 어미 돼지가 새끼를 다 데리고 저 홍광국민학교 뒤로 해서 의림지 비행장으로 그렇게 돌아다녔어.”

간호한 지 일주일이 되자 돼지는 밥을 먹기 시작했습니다. 8일 만에 우리로 돌아갈 수 있었습니다. 저녁때 술에 취해 들어와 시아버지는 또 “물 끓여라, 돼지 새끼를 튀해 가족이 뜯어 먹자.” 하십니다. “아버님, 돼지가 살았는데요.” 하니 “니가 수고했다, 니가 수고했다.” 하십니다. 죽다 살아나도 돼지는 버릇을 고치지 못하고 계속 우리를 뛰어넘었습니다. 짐승도 자꾸 욕을 먹고 밉다 밉다 소리를 들으니 모습도 이상하게 변해갔습니다. 주둥이가 이상하게 뾰족하고 눈도 이상하게 흘끔거립니다.

늦은 가을에 결혼했는데 가자마자 아이가 생겼습니다. 해피도 생전 처음으로 새끼를 가졌답니다. 며느리가 오자마자 손주도 보고 개도 새끼를 가졌다고 무척 좋아들 하였습니다. 해피는 주는 대로 잘 먹고 살이 통통하게 오르며 아주 사랑스러워졌습니다.

우리 집과 아주 가깝게 앞집이 있었습니다. 앞집 아줌마는 개를 좋아하는데 개가 없었습니다. 해피를 자기네 개처럼 부엌 구석에 자리를 만들어 먹을 것을 주고 귀여워했습니다. 우리 집은 부엌 구조가 개가 들어와 부닐(가까이 따르며 붙임성 있게 굶) 만큼 편한 구조가 아니었습니다. 새끼를 낳을 때가 되자 해피는 앞집 부엌에서 여덟 마리의 새끼를 낳았습니다. 정월이어서 아직 쌀쌀한 날씨에 개죽을 날라다 먹였습니다. 아무리 앞집이 가깝다고는 하지만 죽을 날라다 먹이는 것이 편한 것은 아니었습니다. 그래도 강아지가 아주 복스럽게 잘 커서 저 강아지를 팔면 불편한 부엌을 개조할까 생각했습니다.

남편이 꿈 깨라고 하였습니다. 우리 아버지는 송아지도 낳으면 남에게 거저 준다고 했습니다. 그냥 하는 소리거니 했습니다. 강아지가 젖 뗄 때가 되자 술을 드시고 친구를 데리고 오셔서 강아지를 들려 보냈습니다. 다음 날 지나가는 친구를 불러 강아지 한 마리를 주었습니다. 강아지 다섯 마리를 준 다음 날은 온 식구가 다 어디를 가고 혼자 집에 있었습니다. 내다 보니 옆집에 새댁들이 모여 놀고 있는 것이 보였습니다. 강아지 두 마리를 안고 나도 놀러 갔습니다. 다들 강아지가 탐이 나서 팔 수 있냐고 물었습니다. 어른들이 오시기 전에 두 마리를 팔아버렸습니다.

저녁때가 되자 시아버지는 친구 두 분을 데리고 오셨습니다. "야야, 강아지 두 마리를 가져오너라." 하셨습니다. "아버님, 사람들이 와서 돈을 던져놓고 강아지를 가져갔어요. 아버님 돈 여기 있어요." 하고 돈을 드렸습니다. "잘했다, 니가 잘했다." 하며 혼내지는 않으셨습니다.

나는 임신해 무거운 몸으로 돼지를 열심히 거두었습니다. 하루는 아침 일찍 돼지 장사가 트럭을 끌고 돼지를 팔라고 왔습니다. 시부모님은 그날 열한 마리 돼지를 냉큼 트럭에 실어 보냈습니다. 시어머니는 "꾀도 없이 돼지 장사가 왔을 때 죽을 빨리 좀 먹였으면 무게가 더 나갔을 것 아니냐"고 나를 나무랐습니다. 내 상식으로는 여러 장사를 불러 값을 튕겨보고 최고의 값을 받을 줄 생각했습니다. 남편도 나도 진저리가 나서 축산의 꿈을 접었습니다.

살림을 장만해준 행숙이와 방문을 두드리던 행욱이

가장 많이
울고 웃게 한
강아지

결혼하고 시부모님이 계시는 충북 제천에서 신혼살림을 시작했습니다. 당시 공무원이던 남편은 월급을 받아서는 돈을 벌 수 없다고 강원도 평창으로 가서 사업을 시작한다고 했습니다. 어디 갈 데가 없어서 친정 코밑으로 가냐고 많이 싸웠습니다. 남편은 포기하지 않고 여러 날 나를 설득했습니다. 친정 덕 보러 가는 게 아니다. 평창은 지리상 어디로 가나 사방으로 100리(40킬로미터) 밖을 나가야 무엇을 살 수 있다. 평창 사람은 모든 것을 평창 안에서 사야 하기에 인근에서 작은 밑천으로 사업을 하기엔 그만큼 좋은 곳이 없다고 했습니다.

남편의 생각은 적중했습니다. 문구를 갖춘 서점을 운영했는데, 문구는 유행을 타서 아이들 심리를 잘 파악해 때에 따라 물건을 갖춰 늘 히트했습니다.

나는 시골에서 일만 하고 살아서 세상 물정을 몰라도 너무 몰랐습니다. 아는 아주머니가 서울에 사는 자기 친척 집 아들을 중매하겠다고 했습니다. 친척 집 동생은 사업하며 자기 집도 있다고 내세웠습니다. 세상에 집 없는 사람이 어디 있나, 뭔 집이 있다고 내세우나 생각했습니다. 시골 사람들은 다들 자기 집에 살아서 집이 그렇게 중요한지 몰랐습니다.

평창에서 첫 사업을 할 때 가게를 세 얻어 살았습니다. 집 없는 서러움이란 말할 수 없는 고통이었습니다. 오직 내 집을 마련하기 위해 고군분투한 결과, 3년 만에 세 들어 살던 가겟집을 살 수 있었습니다.

인정 많은 친척 집 행자 엄마는 내가 집을 사자 "야야, 장하다. 내가 뭐라도 해줘야 하는데." 하며 애쓰셨습니다. 행자 엄마는 강아지를 키워 살림을 장만하라고 갖다 주었습니다. 이름이 '행숙이'라고 합니다. 행자가 자기 동생이라고 행숙이라 불렀답니다. 맘에 안 들면 다른 이름을 지어 부르라고 했습니다. 동생이 없는 행자가 동생 같은 강아지를 큰마음 먹고 줬는데 그냥 행숙이라 부르기로 했습니다. 행숙이는 크고 선한 눈을 가진 잿빛 똥강아지였습니다.

마당이 그리 넓지 않았지만 대문을 닫고 풀어놓아 키웠습니다. 마당 안에는 우리 집 말고도 세 들어 사는 두 집이 있었습니다. 쌀뜨물을 받아 가라앉힌 다음 웃물을 따라 내고 그 물에다 죽을 끓여 먹였습니다. 강아지는 한 마린데 세 집이 사니 아이들이 남긴 밥만 먹여도 남았습니다.

우리 옆집은 마당이 넓었습니다. 진돗개와 셰퍼드, 이름을 알 수 없는 멋진 개를 여러 마리 키웠습니다. 행숙이는 멋진 개를 여러 마리 키우는 옆집으로 쫄랑거리며 자주 놀러 다녔습니다. 우리 집에서 잔반을 가져가 돼지를 키우는 집이 있었는데, 행숙이를 키우고부터 가져갈 게 없자, 시내에서 뭔 개를 키워 돼지 뜨물도 가져가지 못한다고 엄청 중얼거렸습니다. 개 짖는 소리가 시끄럽다고 화내기도 했습니다.

사랑하는 행숙이는 다음 해 봄이 되자 흰둥이, 검둥이, 누렁이, 잿빛… 각기 다른 빛깔의 여섯 마리 새끼를 낳았습니다. 행자 엄마는 행숙이가 새끼를 낳자 사골을 고아서 한 양동이를 이고 오셨습니다. 행숙이는 잘 먹고 젖도 잘 나옵니다. 덩치도 크지 않고 경험도 없는데 새끼를 지극정성으로 잘 돌봅니다.

행숙이는 똥개인데 새끼는 어린데도 진돗개나 셰퍼드와 비슷하고, 실하고 특별해 보입니다. '한 두어 달 충분히 키워서 실한 놈으로 행자네부터 한 마리 줘야지' 생각했습니다. 한 달이 좀 넘자 행자네는 행숙이를 가장 많이 닮은 강아지를 굳이 돈을 내고 가져갔습니다. 행자네 이웃에서 너도나도 와서 강아지를 가져갔습니다.

강아지를 판 돈으로 한 아름 하고도 한 뼘이나 남는 무쇠솥을 샀습니다. 먹을 진하게 갈아 무쇠솥에 여러 번 칠했습니다. 들기름을 한 달을 두고 바르고 또 발라, 파리가 미끄러질 정도로 반들반들 윤기를 내어 걸었습니다.

순하고 착한 행숙이는 봄가을로 새끼를 낳았습니다. 처음에만 여섯 마리를 낳고 다음부터는 여덟, 아홉 마리를 낳았습니다. 옆집에서 여러 종의 개들을 키우는 덕분에 언제나 알록달록한 예쁜 강아지를 낳았습니다.

행숙이가 새끼를 낳으면 무쇠솥에다 사골을 고아 사람도 먹고 행숙이도 먹입니다. 강아지도 한 달쯤 되면 사골 국물에다 여러 가지를 넣고 이유식을 끓여 먹입니다. 행숙이는 젖이 좋아서 강아지가 아주 복스럽게 커서 분양하기 쉬웠습니다. 강아지가 엉크런 이빨로 젖을 줄줄 빨며 따라다닙니다. 행숙이도 귀찮아하며 이 구석 저 구석으로 피합니다. 서둘러 강아지를 다 분양하고 나서, 행숙이가 살이 오르고 좀 예뻐진다 싶으면 또 새끼를 뱁니다.

가게에서 번 돈으로 논도 사고 밭도 샀습니다. 집세도 나가지 않고 쌀도 사먹지 않으니 돈이 모였습니다. '아들딸 구별 말고 둘만 낳아 잘 기르자' 하는 세월에 아이 둘을 낳고 또 임신을 해서 흉거리가 되었습니다. 돼지를 키우는 집은 그 집 개는 주인댁을 닮아서 새끼를 잘 낳는다고 빈정거렸습니다. 아이를 업고 일했습니다.

가게 돈을 쓰지 않고 강아지를 키워서 흑백텔레비전을 샀습니다. 동네에 '우미양행'이라고 자매가 하는 양품점이 있었는데, 그 집에선 발 빠르게 새로운 물건을 평창에 보급했습니

다. 양은솥만 쓰던 시절 우미양행에서 큰 스텐솥을 맞추면 사다 주었습니다. 강아지를 판 돈으로 10리터는 되는 큰 스텐솥을 샀습니다. 짚수세미를 쓰다가 우미양행에서 3M이라는 화학 수세미를 사서 그릇을 힘들이지 않고 속 시원하게 번쩍번쩍 빛나게 닦게 된 것은 이변이었습니다. 치레를 몰라 1년에 파마 한 번 하며 머리를 묶고 살았습니다. 옷도 적당히 걸치고 아이를 업고 일을 많이 하다 보니 몸도 아팠습니다. 내 모습을 남들이 어떻게 볼까 생각한 적 없이 열심히 살았습니다.

하루는 친구가 놀러 왔습니다. "야, 너 누구네 사모님이 그러는데 그렇게 고르더니 별난 데로 시집 못 가고 사는 꼴이 말이 아니라고 흉을 보더라" 합니다. 자기가 중매하는 데 시집 갔으면 가려운 데도 안 긁고 살 것이라고 하더랍니다. "고르긴 누가 골라." 중매란 어른들끼리 오가던 말이었습니다. 혹시 들어서 괜찮다 싶을 때도 어른들이 아니라 하면 내가 아는 사람도 아니고 굳이 좋다 할 일 없이 지나간 일이었을 뿐입니다.

우리 집은 학생을 상대로 하는 업이어서 새 학기에는 밥 먹을 시간도 없이 바빴습니다. 그때 막내딸은 태어난 지 3개월이었는데 행숙이도 새끼를 낳았습니다. 그렇게 많이 낳던 행숙이는 이번에는 웬일로 세 마리만 낳았습니다. 행숙이가 새끼를 난 지 사흘 만에 돼지를 키우는 집의 제사였습니다. 아침에 일어나 보니 행숙이가 조기 대가리를 토해놓고 숨을 벌떡벌떡합니다. 행숙이를 끌어안고 "행숙아, 행숙아" 소리쳤습니다. 행숙이는 몇 번 버둥버둥하더니 숨을 거두었습니다. 강아지도 죽어 있었습니다. 가슴에 쿵 소리가 났습니다.

머리가 띵하면서 눈앞이 캄캄한 게 보이지 않았습니다. 한참 있다 정신이 나서 보니 강아지 한 마리만 벌렁벌렁 숨을 쉬고 있었습니다. 나는 "으으으으… 이이이잉…" 계속 울면서 살아 있는 강아지부터 방으로 데리고 들어왔습니다. 행숙이와 강아지 밥에 약을 놓은 건 돼지를 키우는 집일 거라고 짐작만 할 뿐입니다.

강아지를 털모자에 담아 따뜻한 아랫목에 묻어놓고 따뜻한 물을 손끝에 찍어 먹였습니다. 밥물을 많이 붓고 끓이다 윗물을 떠 설탕을 조금 타서 젖병을 사다 담아서 주어봤습니다. 눈도 뜨지 못한 강아지는 젖병을 빨지 않았습니다. 두 시간마다 손가락으로 찍어 먹였습니다. 한 이틀 지나니 숟갈로 떠먹이게 되었습니다.

아기가 있는 방 한쪽에 포대기를 깔고 같이 키웁니다. 처음 며칠은 먹는 대로 자고 좀 조용했는데 일주일이 넘어 강아지는 눈이 떠지자 온 방 안을 돌아다닙니다. 아무 데나 똥도 싸고 오줌도 쌉니다. 자꾸 아기 품으로 파고들려고 합니다.

할 수 없이 친정집에서 닭둥주리를 갖다가 가두었습니다. 아기를 업고 나갈 때는 강아지를 방 안에 풀어주었습니다. 가족이 방에 있을 때도 강아지와 함께 있었습니다. 가게 문을 닫고 열두 시가 넘어서 강아지 죽을 끓입니다. 찹쌀, 쌀, 싸라기, 좁쌀을 조금 미리 불려놓았다가 고기 한 조각 넣고 곰국처럼 쌀이 형체가 보이지 않을 때까지 끓입니다. 나중에 콩가루, 감자가루, 멸치가루를 넣고 큰 냄비로 하나 끓여놓습니다. 정확히 두 시간마다 먹습니다. 시간이 지나면 "깽깽깽… 깨깽깨깽…" 누가 때리기라도 하는 것처럼 울고 난리를 피웁니다. 자다가도 일어나 먹여야 합니다. 한동안 나도 모르게 눈물이 줄줄 흘러내렸습니다.

아기는 일하다 젖을 먹이면 됐는데 강아지는 먹이를 마련하는 일이나 먹이는 일이 아기를 키우는 것보다 훨씬 더 힘이 들

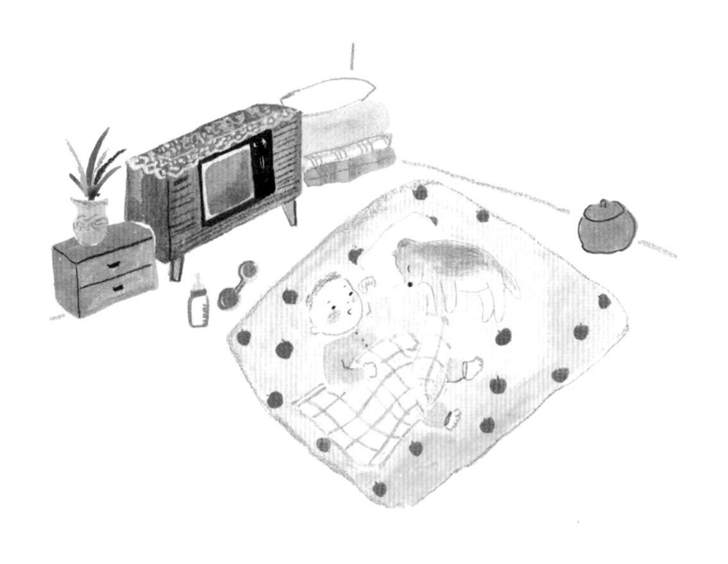

었습니다. 강아지는 이제 좀 컸다고 잘난 체하고 죽도 혼자 먹다가 죽그릇에 빠지기도 하고 일부러 들어가기도 합니다. 아기와 같이 매일 목욕도 시켜야 합니다. 두 살 터울인 아이 셋과 강아지는 철없기는 하나같습니다.

방은 가게에 딸려 있었습니다. 요즘처럼 난방에 뜨거운 물이 나오는 욕실이 없던 때라, 아기를 씻기려고 따뜻한 물을 담은 대야를 놓고 갈아입힐 옷은 아랫목에 묻어놓습니다. 가겟방에 있을 때 "계세요~." 해서 물건을 팔고 들어오면 다섯 살,

세 살 된 큰 애들이 아랫목에 붙어놓은 옷을 빨래한다고 다 물이 담긴 대야에 집어넣었습니다. 어떤 때는 큰 애들이 다 대야에 들어앉아 있습니다.

매일 씻기면 좋지만 바쁘니 아기만 매일 씻기고 큰 애들은 하루걸러 씻기도 하는데 할 수 없이 셋을 매일 씻겨야 합니다.

맑고 선하고 착하고 감감스름한(아렴풋한) 눈이 행숙이를 생각나게 합니다. 강아지는 행숙이를 닮은 수캉아지라서 '행욱이'라 불렀습니다. 윗목에서 아랫목까지 귀를 나풀거리며 뛰어다닙니다. "아이고 얄궂어라~ 뭔 강아지를 아랑 같이 방에서 키우나~." 사람들은 남의 사정도 모르고 그저 참견하기를 좋아들 합니다. 행숙이가 있었으면 마음껏 젖을 빨며 형제들과 같이 뒹굴며 세상 사는 법을 배웠을 텐데, 걱정이 됩니다. 덩치도 크지 않은 행숙이가 새끼를 지극정성 사랑으로 키우던 모습이 자주 떠올라 아기 강아지가 더 안되어 보입니다.

아기 강아지를 계속 방에 둘 수 없어 두어 달 만에 마당에 집을 새로이 마련해서 행욱이를 내놓았습니다. 그나마 다행인 것은 맨 끝 방에 강아지를 좋아하는 경상도에서 온 가족이 살았다는 것입니다. 이른 새벽부터 아저씨가 목청껏 "행욱아~!"

부르며 "허허허." 하면 아주머니는 행욱이를 사투리로 "힝욱아." 하며 "하하하" 웃습니다. 어린 아들딸들도 잠이 없습니다. 새벽부터 행욱이를 안고 뽀뽀하고 난리를 피웁니다.

행욱이는 모양은 행숙이를 닮았지만 커갈수록 검은 갈색입니다. 어미 없이 큰 것 같지 않게 탄탄하고 덩치도 큼직합니다. 행욱이는 사람만 보면 좋아서 배를 보이며 뒹굴고 엄청 재롱을 부립니다. 행욱이는 항상 방에 같이 살고 싶어 마당으로 난 방문을 사람처럼 똑똑 두드렸습니다. 문만 열면 얼른 방으로 뛰어들어와 가족이 서로 안아주고 한참을 놀아주다가 억지로 달래서 내보냅니다. 장날이면 친정 동네 사람들이 많이 모여 점심을 먹고 갔습니다. 행욱이가 문을 똑똑 두드리면 행욱이라고 말해줄 사이도 없이 손님이 사람인 줄 알고 "누구시유?" 하며 문을 열어봅니다. 갑자기 큰 개가 냉큼 뛰어들어오면 "어머나." 하며 기절하도록 놀랐습니다.

행욱이는 발정기가 오면 자꾸만 밖으로 나가 돌아다니려고 합니다. 그때는 동물병원도 없어 중성화 수술 같은 게 있는 줄도 몰랐던 시절입니다. 누가 대문을 연 틈을 타 비호같이 나가 시루목고개(우리 집에서 후평리, 다수리, 주진으로 가는 완만한 고

갯길)를 넘어갔습니다. 누가 오라고 하는지 "행욱아, 행욱아." 부르며 따라가는데 뒤도 안 돌아보고 갑니다. 코로 냄새를 맡으며 썰썰 기는 듯이 계속 갑니다. 잡힐 듯 잡힐 듯하면서 잡지 못할 속도로 가다가 후평버덩 풀밭을 보자 말처럼 달려갑니다.

거기에는 웬 개들이 서너 마리 모여 놀고 있었습니다. 행욱이는 겁 없이 달려들었습니다. 갑자기 "아아앙~ 앙앙앙~ 와가가각! 개개개객! 앙그르르~" 이빨을 앙크렇게(뾰족뾰족하고 고르지 못해서 사납게) 보이며 서로 죽일 것같이 싸웁니다. 행욱이가 많이 다칠 것 같습니다. 한참 소란스럽더니 걱정했던 것과 달리 다들 어디로 가고 행욱이만 남았습니다. 풀숲에 숨어 있던 암캐를 만나 서로 뽀뽀하며 놉니다. 언제부턴가 잘 아는 사이인 것 같았습니다. 아무리 불러도 들은 척도 안 합니다. 아기를 두고 갔기에 할 수 없이 혼자 돌아왔습니다.

몇 시간이 지나도 행욱이는 돌아오지 않습니다. 개는 바람이 나면 밥을 잘 먹지 않는 경향이 있습니다. 개도 밥을 잘 안 먹기 시작하면 비실비실하다가 병들 수도 있습니다. 개가 아프면 북어 대가리가 약입니다. 예방 차원에서 북어 한 마리를 사다가 통째로 푹 삶아 죽을 한 솥 끓여놓고 기다립니다. 다섯 시간쯤 지나 아기를 업고 막 찾아 나서려는데 행운이가 패잔병처럼 꼬리를 늘어뜨리고 오는 것이 보입니다.

나를 보자 껑충 뛰어 매달리며 길길이 뜁니다. 기운이 얼마나 센지 아기를 업고 넘어져 크게 다칠 뻔했습니다. 무슨 일이 있었는지 고개를 쳐들고 "우우우~." 하고 웁니다. 엄청 헐떡거리며 꼬리를 많이 흔들면서 덤벼들었다 벌러덩 누워서 뒹굴기도 합니다. "알았다, 길 안 잃어버리고 잘 찾아와서 잘했다. 다음에는 집 나가지 마라." 토닥거리며 달랬습니다. 한 30분은 족히 난리를 친 뒤에야 겨우 진정됐습니다. 배고픈데어서 밥을 먹으라고 했더니 허겁지겁 엄청 많이 먹더니 그 자리에 푹 쓰러졌습니다. 깜짝 놀랐습니다. 행운이는 아무리 흔들어도 깨어나지 않습니다. 많이 고단했던 모양입니다. 옆집 아저씨가 안아다 집에 눕혔습니다.

행운이는 이후로도 후평버덩으로 놀러 가는 것을 너무 좋아해 걱정거리가 되었습니다. 평생 개를 많이 키워봤지만 행운이는 나를 가장 많이 웃고 울게 한 개였습니다.

외상값으로 받은 까망이

어머니를 반가워한
흑염소

1970년대 초 강원도 평창읍에서 문구점을 하고 살 때였습니다. 기관이나 개인이 사무용품을 외상으로 쓰고 대개 월말에 결제했습니다. 큰오빠 친구 중에 키다리 오빠가 있었습니다. 키가 188센티미터여서 붙여진 별명입니다. 늘 우리 문구점에서 사무용품을 가져갔는데 몇 달이 돼도 결제하지 않았습니다. 외상을 쓰기 시작한 지 한 1년쯤 되는 어느 날입니다. 키다리 오빠는 까만 흑염소 한 마리를 끌고 왔습니다. 별다른 이야기도 없이 그냥 염소를 키워보라고 주고 갔습니다.

아마 외상값으로 퉁 치자는 얘기 같습니다. 황당했지만 흑염소는 무척 예뻤습니다. 염소는 한 번도 키워본 적 없었지만 해보기로 했습니다. 그때는 가겟집도 다 한옥이었습니다. 우리 집은 가게를 중심으로 양쪽에 대문이 있는 구조였습니다. 집을 정면에서 바라보면 오른쪽 대문 안은 더 좁고 왼쪽 대문 안으로 안마당과 가겟방에 딸린 부엌이 있었습니다. 안마당에 말뚝을 박고 새까맣고 탱글탱글한 흑염소에게 고삐를 길게 매어놓았습니다.

바빠졌습니다. 종부 다리를 건너가서 칡덩굴을 뜯어다 주었습니다. 시장에 가서 채소잎도 구해다 주었습니다. 감자나 뿌리채소도 잘 먹습니다. 입은 소처럼 쉴 새 없이 우물거립니다. 염소는 똥을 동글동글하게 예쁘게 싸서 냄새도 많이 나지 않아 다행입니다.

안마당에 수도가 있어 물을 받거나 부엌으로 들어가려면 꼭 염소 앞을 지나야 합니다. 이놈은 사람만 보면 달려들어 떠받는 버릇이 있습니다. 잘 계산해서 사방으로 누가 갑자기 들어와도 피해를 보지 않을 만큼 고삐를 조절해 매어놓았습니다.

저녁때 큰오빠가 퇴근하고 돌아가는 것을 놓치지 않고 기다렸습니다. 큰오빠가 집 앞을 지나갈 때 우리 집에 흑염소를 구경하고 가라고 붙들었습니다. 큰오빠가 대문 안에 들어서자 염소가 떠받으려고 달려들어 깜짝 놀랐습니다. "웬 염소냐?" 큰오빠가 물어서 키다리 오빠가 외상값으로 줬다고 하니 "싱거운 놈!" 하며 박장대소합니다. 큰오빠는 "하긴 키 크고 싱겁지 않은 사람 없더라." 하며 갔습니다.

서점에 흑염소가 산다고 소문이 났습니다. 아이들이 풀을 뜯어와서 날마다 염소를 보여달라고 합니다. 처음에는 문을

열어주었는데 그것도 하루 이틀이지 여간 번거로운 일이 아니었습니다. 문을 열어주지 않으니 아이들이 대문 밑에 배를 깔고 엎드려서 들여다봅니다. 풀도 뜯어다가 문 밑으로 밀어 넣고 갑니다. 살구실에 사는 할머니는 풋콩 팔다 남은 것을 대문 위로 던져 넣고 가셨습니다.

가게를 볼 때는 돈을 책상 서랍에 그냥 받아 넣었다가 저녁에 정리했습니다. 우리 집은 본업인 서점 외에 문구점과 신문지국, 일일공부(학습지)도 병행했습니다. 여러 일을 하다 보니

일하는 아이를 여러 명 썼습니다. 그중 열세 살 먹은 남자아이 하나가 간식을 너무 좋아했습니다. 항상 뭔가 먹으면서 너무 행복해하는 모습을 보였습니다. 그런데 하루는 잠깐 가게를 비운 틈을 타 그 아이가 서랍에서 돈을 한 움큼 쥐고 부엌문으로 빠져나갔는데 염소가 사정없이 떠받아버렸습니다. 가게에 딸린 방은 마당으로도 문이 나 있고, 부엌으로도 문이 나 있었습니다. 가게에서 방으로 들어가 부엌문으로 나가면 사람들에게 들키지 않고 나갈 수 있는데, 아이가 미처 염소를 생각하지 못했던 것입니다.

비명 소리가 나서 쫓아가 보니 아이가 넘어져서 일어나지 못했습니다. 다행히 흙바닥이어서 놀라기는 했어도 다친 데는 없었습니다. 도둑이 제 발 저린다고 그 와중에도 "용서해주세요, 처음이에요." 합니다. 미처 뭐라 할 새도 없이 실토해서 처음인지 아닌지 믿을 수는 없지만 "이 돈 갖다 쓰고 다시는 그러지 마라." 하고 보냈습니다. 나도 떠받으려는 염소한테 그날은 도둑 잡은 상으로 특별히 좋아하는 사과를 먹였습니다.

가을이 되자 날씨는 점점 추워지고 걱정돼 흑염소를 친정집에 보내기로 했습니다. 어느 날 작은 용달차를 불러 염소와 같이 짐칸에 탔습니다. 자꾸만 떠받으려는 염소의 목을 안고 그러지 말고 잘 지내보자고 달래며 갔습니다. 친정에 가려면 옥고개재를 넘어야 합니다. 옥고개재 정상에 오르자 지붕 없는 차가 그렇게 무서운 줄 몰랐습니다. 까마득하게 내려다보이는 강물로 금방이라도 날아 떨어질 것 같았습니다. 철없는 염소는 눈을 반짝거리며 고개를 바짝 쳐들고 사방을 살핍니다. 내 몸은 자꾸만 산 쪽으로 움츠러들었습니다.

아슬아슬하게 옥고개재를 넘어 친정에 갔더니 식구들은 나보다 염소를 더 반가워했습니다. 짐승을 좋아하는 어머니는 갑자기 "까망이가 왔나!" 하며 기뻐하십니다. 우리는 그냥 염소라고 불렀는데 어머니는 보자마자 이름을 붙여주었습니다. 이름을 부르자 염소가 어머니한테로 달려가서 아차 싶었습니다. 어머니를 떠받으면 큰일입니다. 그런데 염소는 어머니 품에 아기처럼 파고들며 안겼습니다.

참 별일입니다. 사람만 보면 떠받더니 어머니를 자기 엄마처럼 반가워합니다. 목줄을 풀어줘도 어머니만 졸졸 따라다니며 어디 도망갈 생각을 안 합니다. 사람만 보면 떠받던 버릇도 없어졌습니다. 다른 사람들한테는 관심도 없습니다. 어머니는 날이 가물 때는 물이 줄어 강을 건너 앞산으로 나물을 뜯으러 다니셨습니다. 까망이는 헤엄쳐서 강을 건너 어머니를 따라 앞산에도 나물을 뜯으러 같이 갔습니다. 집 안에서는 너무 따라다니니 귀찮을 때도 있었는데 산에까지 따라와주니 든든하다 하십니다.

키다리 오빠가 큰오빠와 함께 친정에 놀러 온 적이 있었습니다. 까망이는 키다리 오빠를 보자 냅다 들이받았습니다. "허허, 이놈이 오랜만에 만났으면 반가워해야지. 무슨 짓이냐!" 까망이는 키다리 오빠의 외할머니가 키우던 염소였습니다. 외할머니가 돌아가시자 키다리 오빠가 데려왔답니다. 짐승을 키워본 일이 없는 키다리 오빠는 우리 집에 외상값도 있고 해서 '에라 모르겠다.' 하고 갖다 주었답니다. 친정어머니가 자기네 외할머니와 많이 닮아서 잘 따르는 것 같다고 합니다.

아버지 방을 들여다보던
애노

싸움 싫어하던
아버지를 닮은 고양이

친정아버지 만년엔 친정집에 고양이가 여덟 마리 있었습니다. 고양이 여덟 마리의 이름은 다 '애노'였습니다. '앤오앤오' 운다고 지은 이름입니다. 아버지의 고양이는 여덟 마리 중 대장 수고양이였습니다. 노랗고 얼룩얼룩한 데다 귀 끝에 짧은 털이 몇 가닥씩 나 있었습니다. 사람들은 스라소니 새끼라고도 하고 삵의 새끼라고도 하였습니다. 하지만 분명 친정집에서 키우던 평범한 고양이가 낳은 새끼입니다. 마당 한쪽에 10단짜리 아치형 화분 받침대를 놓았는데 항상 제일 높은 칸은 아버지의 고양이가 차지하고 있었습니다.

그때는 지금처럼 고양이를 방에서 반려동물로 키우는 게 아니었습니다. 시골 고양이는 놀고먹고 살지 않았습니다. 당당히 일하며 먹고삽니다. 특히 농촌에선 먹을거리가 많아 고양이가 없다면 쥐들의 천국이 될 것입니다. 우리 집 고양이는 많은 농작물을 지켜주는 중요한 가족의 일원이었습니다. 고양이 덕에 바쁜 가을걷이 때도 쥐 걱정 없이 마음 놓고 비만 맞지 않게 곡식을 집 안에 아무렇게나 들여다 쌓아놓을 수 있었습니다.

어떤 사람들은 차라리 쥐를 키우지 고양이는 싫다고 합니다. 특히 눈이 무섭고 잘못하면 꼭 보복한다더라 하며 고양이를 키우지 않습니다. 쥐 피해가 심하면 쥐약을 놓아 다른 집 고양이나 개가 피해를 보게 하는 얌체족도 있었습니다.

어머니는 짐승을 엄청 좋아하셨습니다. 그중에서도 고양이를 특별히 더 좋아하셔서 고양이 새끼가 태어나면 누구 집에 고양이가 없나 동네에 열심히 수소문해 분양하셨습니다. 고양이가 없으면 기껏 농사지어 수지는 쥐가 뜯어 먹고 집 안을 돌아다니며 짓밟아 더럽다고, 농삿집에선 고양이를 꼭 키워야 한다고 권하셨습니다.

고양이를 공짜로 가져가면 쥐를 잡지 않는다는 설이 있습니다. 사람들은 절대 고양이를 공짜로 가져가지 않았습니다. 딱히 정해진 가격 없이 어떤 집은 돈을 놓고 가기도 하고 음료수 같은 것을 사오기도 합니다. 나름대로 자기네 집에 귀한 것을 갖다 주고 고양이 새끼를 가져갔습니다.

봄가을로 고양이가 새끼를 낳아 다 분양하고 또 분양이 안 되면 안 되는 대로 여러 마리를 키울 때도 있습니다. 한번은 고양이가 새끼를 여러 마리 낳았는데 그중 한 놈이 얼룩얼룩한 것이 꼭 삵을 닮았습니다. 다 분양하고 이놈을 남겼는데 어미가 집을 나가 돌아오지 않았습니다.

아버지는 고양이 새끼가 안타까워 생선살을 뚝뚝 뜯어 먹입니다. 국그릇의 고기도 건져 먹이며 특별히 거두었습니다. 어린 애노는 그때부터 아버지를 졸졸 따라다녔습니다. 밭에 갈 때도 앞장서서 갑니다. 풀을 베러 갈 때도 언제나 앞장서서 갑니다. 아버지가 일하는 동안 옆에서 기다리다가 가끔 그늘에 누워 쉬실 때 아버지 어깨에 올라가 어깨를 밟아줍니다.

남동생 부부는 부모님과 함께 농사짓고 살았습니다. 나는 바쁜 농사철에는 코빼기도 보이지 않다가 김장철이면 김장하러 친정에 갔습니다. 배추를 가꿀 때는 어디 한 포기라도 빈 데가 없나 찾아 비가 와도 비를 맞으며 모종을 합니다. 햇볕이 날 때는 물을 들고 다니며 주면서 모종한 밭이 빈자리 없게 농사를 짓습니다. 완전히 자라지 않은 푸성귀라도 귀할 때 뽑아 팔면 더 좋은 가격을 받을 수 있습니다. 그렇지만 농부의 마음이란 밭 한가득 온전히 자라지 않으면 절대로 손대지 않습니다. 농사지을 때는 배추 한 포기도 남을 줄 수 없을 것 같습니다. 수확기가 되면 고달프게 농사지은 생각은 다 잊어버리고 나눠 먹는 것만 좋아 풍성히 나누고 팔기도 합니다. 김장 때가 돼서 누가 오면 배추를 가져가라고 집어주고 차로 실어다 주고 합니다. 고양이들에게도 나눠줍니다. 흐들스러운 배추 한 포기를 쭉 쪼개 마당 한쪽에 던져놓으면 고양이 여덟 마리가 모여 한 번에 다 뜯어 먹습니다.

아버지가 돌아가시기 한 해 전이었습니다. 김장하러 가서 친정에 2주 동안 머물렀습니다. 애노는 아주 조용해 모습이 보이지 않으면 있는지 없는지도 모릅니다. 오직 아버지만 따라다니지만 아버지 방문 앞까지만 오고 절대로 방에는 들어오지 않습니다. 억지로 안아 들여놓으면 죄송스러워서 쩔쩔매며 잠깐 엎드렸다 얼른 나가 버립니다.

애노는 대장이지만 용해빠져서(성질이 순하고 어리석음) 여버리(바보)라 불렀습니다. 용하지만 용맹스럽기가 치타 같았습니다. 낮은 행랑 지붕 끝에 앉은 새도 날개가 있는 것처럼 사냥해서 고양이를 불러 모아 먹입니다. 산토끼를 잡아올 때도 있습니다. 한 마리라도 빠지면 용케도 알고 '왕오왕오' 큰 소리로 불러 고루 먹입니다. 때론 사냥해오면 다른 고양이들

이 달려들어 낚아채기도 합니다. 그래도 아버지의 고양이가 다른 고양이들과 싸우는 것을 본 적이 없습니다.

아버지는 평생 누구와 큰 소리로 다퉈본 적이 없다고 하십니다. 싸움을 싫어하는 성품이셨습니다. 집에 사람이 오면 절대 빈 입으로 보내면 안 된다고 하셨습니다. 남의 집에 갈 때는 빈손으로 가면 안 된다고 하셨습니다. 어린 날 친척 집에 가본 적 없이 자랐습니다. 어린것이 친척 집에 가서 자칫 '여기로 옮겨 앉아라, 저기로 앉아라.' 하며 눈칫밥을 먹을 수 있다고 하셨습니다. 놀러 다닐 시간에 풀 한 포기라도 뽑고 집안에 보탬이 되는 일을 하라고 하셨습니다. 이담에 커서 이런저런 눈치가 생기면 그때는 떳떳하게 한 보따리 들고 가서 하고 싶은 대로 하라고 하셨습니다. 큰 손해가 나지 않으면 이웃과 다투지 말라고 하셨습니다. 큰 소 한 마리가 왔다 갔다 한다면 모를까 사소한 일로 다투지 말라고 하십니다.

어머니는 남한테 지는 것을 너무 싫어하셨습니다. 그래서 항상 잠을 자지 않고 일을 많이 하셨습니다. 워낙 아버지 성품이 곧고 확고하셔서 면전에선 뭐라 못하시고 몰래 "여버리 같이 남한테 내 것도 너볏이 내어주고 뺏기나." 중얼중얼하십니다. 고양이도 쥔(주인)을 닮아서 여버리 같다고 몰래 뒤에서 여버리라 불렀습니다. 애노는 아버지가 돌아가실 때까지 아버지와 동행하며 아버지를 보호하고 살았습니다. 풀숲이나 밭에 갈 때 앞장서서 가며 뱀을 쫓아준 적이 여러 번 있었다고 합니다.

애노는 아버지가 집에 안 계시면 가끔 아버지 방을 들여다보고 갑니다. 아버지는 여든두 살에 병석에 누운 지 한 달 만에 돌아가셨는데 애노는 수시로 아버지를 보고 갔습니다. 아버지가 돌아가시고도 가끔 아버지 방을 들여다보았습니다. 아버지 물건을 다 정리하고 아버지 방을 비웠습니다. 아버지 방이 완전히 비자, 애노는 집을 나가 다시는 돌아오지 않았습니다.

3부

동물들과 맺은 인연

사람에게 구조 요청해서
산 하늘이

어미 덕분에 산
새끼 고양이

하늘이는 우리 집 고양이 이름입니다. 하늘같이 파랗고 예쁘게 생겨서가 아니라 아주 사연이 많아 붙은 이름입니다.

1990년대 서울 천호동 주택가에 살 때의 일입니다. 4월 초 쌀쌀한 어느 날 아침, 우리 집 담과 뒷집 담 사이 좁은 골목에 아주 작은 새끼 고양이 한 마리가 앉아 있었습니다. 자세히 보니 몇 발짝 앞에 어미 고양이가 아무런 대책 없이 앉아 있습니다. 다람쥐같이 노란 줄이 죽죽 간 고양이는 작아도 너무 작은 것이 금방이라도 쓰러질 것 같아 가슴이 오싹오싹합니다. 한참을 지켜보아도 어미가 새끼를 거두지 못합니다. 고양이를 별로 좋아하지 않는 남편이지만 딱한 생각이 들었는지 골목으로 비집고 들어가 새끼 고양이를 데리고 나왔습니다.

새끼 고양이는 오들오들 떨면서 금방이라도 숨이 넘어갈 것 같습니다. 대책이 없기는 어미 고양이보다 더 나은 것이 없습니다. 생각 끝에 수건으로 감싸고 드라이어로 살살 바람을 일으켜 따뜻하게 해주었습니다. 한참 수선을 떨자 새끼 고양이는 아슬아슬하게 걸으며 야옹야옹합니다.

어미 고양이가 집 앞에 와서 눈을 부릅뜨고 '왕오왕오' 화난 목소리로 웁니다. 새끼를 내놓으라는 것 같습니다. 그러잖아도 어떡하나 걱정하던 중에 잘 찾으러 왔구나 싶어 새끼를 내주었습니다. 뭔가 큰일이 지나간 것처럼 안도의 한숨을 길게 쉬었습니다.

다음 날 아침입니다. 어미 고양이는 혼자 와서 우리 집을 들여다보고 화가 잔뜩 난 목소리로 '왕오왕오' 계속합니다. 나가서 살펴보니 새끼는 없고 혼자입니다. "이 새끼, 제 새끼를 어디다 잃어버리고 우리 집에 와서 떼를 쓰는 거야. 저리 가." 소리를 쳤지만 막무가내로 '왕오왕오' 합니다.

집 주위를 돌며 찾아보았더니 저 아랫집 쓰레기 더미 사이에 새끼 고양이가 다 죽어가고 있었습니다. 딸내미 둘이 새끼 고양이를 포대기에 감싸서 동물병원에 데려갔습니다. 어찌나 조그마한지 야구 모자 안에 쏙 들어갑니다. 조금만 늦었으면 숨이 넘어갈 뻔했다고 합니다. 수액을 맞고 사흘 동안 입원했다가 통원 치료를 받기로 하고 퇴원했습니다.

염치없는 어미는 집 주위를 돌며 야옹거리지만 새끼를 내어주지 않았습니다. 새끼 고양이는 젖병을 빨지 않아 병원에서 받아온 우유를 손끝에 찍어주면 핥아 먹습니다. 도저히 고양이 노릇을 할 것 같지도 않습니다. 너무 하늘하늘해 남편이 고양이 이름을 '하늘이'라 지어주었습니다. 수저로 우유를 떠먹입니다. 한 5일이 지나니 그릇의 우유를 핥아 먹습니다. 힘 조절을 잘하지 못해 주둥이가 너무 푹 들어가 켁켁거리다가, 푸드득득 양쪽으로 머리를 흔들며 먹습니다.

작고 앙증맞은 모습에 가족들의 사랑을 독차지했습니다. 사람에게 비비며 애교를 떨고 잠도 안 자고 이 방 저 방 돌아다니며 장난을 칩니다. 다리만 보면 환장하고 달려들어 딸들은 하늘이만 보면 소리를 지르며 달아납니다.

하늘이는 아무 데고 들어가기를 좋아했습니다. 부엌살림을 정리하고 있으면 큰 김치 통 속에 쏙 들어가 눕니다. "아이고, 저리 가서 놀아라." 해도 말을 듣지 않고 굳이 작은 통에도 들어가 봅니다. 꺼내놓은 통이란 통에는 다 들어가 보다가 몸이 들어가지 않는 통에는 두 발만 넣어봅니다. 조그만 종지에는 한 발이라도 넣어봅니다.

몇 달이 지나 중고양이가 되자 하늘

이는 부엌 창문으로 들락거리며 밖으로 다녔습니다. 뒷집하고 우리 집 경계 담을 타고 가다가 담 사이에 있는 큰 단풍나무 위로 올라가 놀기를 좋아합니다. 설거지하다 보면 꽁지를 바짝 세우고 뒷담을 타고 놀러 가는 게 보입니다. "야, 어디 가? 빨리 들어와." 하면 가지 못하고 들어와 같이 놀았습니다.

밖에 나가서 고양이들한테 뭐라 하고 다니는지, 어쩌다 현관문을 열어놓으면 동네 고양이들이 모여들어 하늘이의 밥을 먹고 하늘이는 망을 봅니다. 사람이 나와 "이놈들~." 하면 고양이 몇 놈이 후닥닥 뛰어나갑니다.

나는 그 무렵 한창 뜨개방을 다니며 열심히 뜨개질을 했는데, 하늘이의 애교에 녹아서 놀다 보니 뜨개질도 못 하고 책도 한 자 못 읽고, 아무것도 못하고 한여름이 지나갔습니다.

그해 여름 온 가족이 하늘이도 데리고 경기도 광주 퇴촌 계곡으로 놀러 갔습니다. 하늘이는 조수석에 앉아서 지나가는 차를 세느라고 고개가 왔다 갔다 아주 바쁩니다.

물 좋고 나무 그늘이 좋은 곳을 골라 자리를 잡았습니다. 하늘이도 아주 얌전하게 가족 사이에 끼여 밥도 먹고 잘 놉니다. 점심을 잘 먹고 쉬는데 하늘이가 슬금슬금 돌아다니더니 숲속으로 들어가 나오질 않습니다. 아무리 풀숲을 뒤지고 불러도 찾지 못하고 어두워져 집으로 돌아왔습니다.

온 가족이 잠을 못 자고 하늘이 걱정을 합니다. 그 어리석은 놈이 산속에서 홀로 얼마나 무서워할까. 까무러쳐 죽은 것은 아닐까. 어떤 짐승한테 잡아먹힌 것은 아닐까. 그렇게 눈이 동그랗고 예쁜 고양이는 다시없을 텐데…. 남편은 "나도 눈이 동그래. 나를 보고 살면 되지, 그 배신자 같은 놈은 잊어버리고 그만 자라"고 합니다.

날이 밝았습니다. 남편이 하늘이가 없으면 정 못 살겠느냐며 찾으러 가자 합니다. 아침도 먹지 않고 식구가 모두 나섰습니다. 호미고 식칼이고 풀숲을 헤칠 도구도 챙깁니다.

어제 그 장소에 가서 온 식구가 아무리 "하늘아, 하늘아." 불러도 대답이 없습니다. 어제 하늘이가 들어간 곳이 물이 양쪽으로 흐르는 삼각 지점이었습니다. 물을 싫어하는 고양이가 물을 건너서 다른 곳으로 갔을 것 같지는 않았습니다. 삼각 지점을 향해 풀과 덩굴을 호미로 찍어 엎으며 샅샅이 뒤지며 올라갔습니다. 찾기 시작한 지 세 시간 만에 삼각 지점 끝까지 가니 덩굴 밑에 하늘이가 있었습니다. 새빨간 입을 크게 벌려 앙크런 이빨을 드러내고 하악거리더니 숨으려고 합니다.

"어이구 이 맨재기(융통성 없는 사람) 같은 새끼, 하는 행동하고는. 저런 놈을 찾으려 그 애를 썼다니 그냥 확 버리고 갈까부다~." 남편이 으름장을 놓자 딸들이 "하늘아 많이 놀랐지? 잘 봐, 아빠고 언니잖아~." 달래고 붙잡아 하늘이를 차에 태워 돌아왔습니다.

하늘이는 차 안에서 다리를 쭉 뻗고 깊이 잠들었습니다.

오골계의 '꼬끼오' 오동이

친정아버지가 준 닭,
도시에서 울어대다

서울 천호동 주택가에 살 때입니다. 친정아버지 생신이 여름이어서 친정에 식구들이 모이면 늘 삼계탕을 해서 먹었습니다. 한 해는 건강에 더 좋다는 오골계를 키웠답니다. 여러 약재를 넣고 한 가마솥을 끓여 동네 사람들과 나누어 먹었습니다. 고기도 까맣고 뼈도 새까만 고기를 엄청 좋아들 합니다. 누구 하나 징그럽다는 사람 없이 잘도 먹습니다. 발모가지 하나도 남김없이 뜯어 먹습니다. 국물에 밤, 대추, 찹쌀, 마늘을 듬뿍 넣고 죽을 끓여 한 그릇씩 먹고 행복해합니다. 나는 아무리 건강에 좋다 해도 낯선 오골계 고기가 잘 넘어가지 않았습니다.

“우리 이제 갈게유.” 하니, 아버지는 “오골계를 가져가 키워 잡아먹거라.” 하시며 오골계 중병아리를 여러 마리 준다고 하십니다. 주지 말라 해도 몸에 좋다고 자꾸만 주고 싶어 하십니다. 다 내려놓고 억지로 한 마리만 가져왔습니다.

집에 와서 마당에 풀어놓고 하루 이틀 키우다 보니 정이 들었습니다. 사람만 얼씬하면 졸졸 따라다닙니다. 아침에 눈만 뜨면 마당으로 나가 오골계를 먼저 보고 하루 일을 시작합니다. 현관 앞 베란다에서 오골계가 자고 쉴 적에는 나도 계단 난간에서 쉬었습니다.

오골계는 눈이 아주 밝습니다. 베란다 턱에서 마당을 주시하고 있습니다. 저 멀리 기어가는 벌레도 내리뛰어가 잡아먹습니다. "귀엽다, 귀엽다." 하니 무법자가 됐습니다. 마당 한쪽에 애지중지 가꾸는 채소밭도 파 뒤집어놓았고 작물도 뜯어먹었습니다. 예쁜 꽃밭도 마음대로 짓찧고 놉니다.

초복, 중복이 지나고 말복도 지나갔습니다. 주는 대로 잘 먹어서 통통하게 살이 올랐습니다. 하도 오동통해서 오골계 오 씨를 붙여 '오동이'라 이름을 지었습니다. 수놈이라 덩치가 크고 까만색 깃에 붉은 볏이 잘 어우러져 아주 멋스럽습니다. 까만 깃털에 기름이 조르르 흐르는 것이 애교도 잘 부립니다. 가족이 얼씬하면 뛰거나 걸으며 풀풀 날아와 '고고' 하며 품에 안깁니다. '고고고' 하며 다리를 감싸고 돌면서 비비고 졸졸 따라다닙니다.

어느 날부터 오동이는 베란다 턱 가장 높은 곳에 올라가 목을 길게 빼고 소리를 지르기 시작했습니다. 당연히 '꼬끼오.'

하는 청명한 소리가 날 줄 알았습니다. 오동이는 폼만 잡았지 '꼬… 끼거걱걱.' 하며 목에 걸려서 잘 나오지 않는 아주 탁하고 이상한 소리를 냈습니다. 처음이라 아직 목소리가 트이지 않아서 그렇겠지 했습니다. 그런데 여러 날이 흘러도 그 목소리 그대로입니다.

오동이는 한 번 울기 시작하더니, 그 꺽꺽거리는 목소리로 밤중에도 울고 새벽에도 울고 낮에도 울었습니다. "목소리도 좋지 않은데 뭘 시도 때도 없이 우냐." 그만 좀 울었으면 좋겠습니다. 오동이에게 너는 요즘 왜 시도 때도 없이 우냐고 물었습니다. 닭이 '요즘은 개도 소도 다 시계를 찼으니 자기 좋을 때 노래한다'고 했다는 우스개가 생각났습니다.

식구들은 어떤 소리를 내든 상관없이 오동이가 그저 귀엽기만 합니다. 그래도 새벽에는 좀 괴롭습니다. 작은딸이 새벽에 오동이 소리에 자다 깨서는 대체 몇 번이나 우는지 세어봤답니다. 스무 번을 넘기면 '저놈의 달구새끼, 목을 비틀어야지 했는데' 열아홉 번 만에 그치더랍니다.

하루는 내가 외출하고 없는 사이, 시어머니와 큰딸과 작은딸이 점심을 먹고 있는데 우리 집 옆 아파트에 사는 사람 대여

bangs

섯 명이 몰려왔습니다. 새벽마다 무슨 이상한 소리가 들리는데 어디서 나나 보았더니 이 집에서 나더랍니다. 아이가 무섭다고 자다가도 깨서 운답니다. 한 남자는 자기 아내가 밤에 일하다가 새벽에 자는데 꼭 잠이 들려고 하면 이상한 소리로 울어서 노이로제에 걸리겠다고 하더랍니다.

작은딸이 어른이 안 계시니 다음에 다시 오시라고 했답니다. 큰일입니다. 어디 보낼 데도 없고 잡아먹을 수도 없습니다. 며칠 있다 쉬는 날 친정집에 도로 갖다 줄 생각을 했습니다. 사흘이 지나자 아파트에서 열 명 넘는 사람이 몰려왔습니다. 도시에서 어떻게 짐승을 키우느냐고, 짐승을 키우고 싶으면 남한테 피해는 주지 말아야 할 것 아니냐고 합니다. 어떤 사람은 정 키우고 싶으면 성대 수술을 해서 키우라고 합니다. 이사를 가라는 사람도 있었습니다.

몇몇 사람은 어떤 기상천외한 짐승을 키우기에 세상에서 들어보지 못한 이상한 소리를 내냐고 지하실 쪽을 기웃 들여다보기도 합니다. 무슨 이상한 짐승이 아니고 오골계 한 마리 키운다고 하니, 오골계가 상상을 초월한 소리를 낸다며 잡아먹든지 아니면 자기네에게 팔면 잡아먹겠다고도 합니다. 여럿이

입을 열기 시작하니 듣기 거북한 말이 마구 쏟아집니다. 사흘 말미를 주겠다며 그 이상은 안 된다고 했습니다. 그 이상 지나면 고발하든가, 자기네 맘대로 잡아가든가 하겠다고 통보했습니다.

옆 동네에 새벽 기도를 가는 교회가 있었습니다. 그 교회 목사님이 기침을 아주 많이 하셨습니다. 새벽 기도를 갈 때 오동이를 그 교회에 산 채로 갖다 맡겼습니다. 오골계에 오가피와 인삼, 밤, 대추를 넣고 푹 고아 먹으면 기침에 특효약이라고 말하며 오동이를 떠넘겼습니다.

그때 고등학생이던 딸내미 둘은 어두운 베란다에서 손을 마주 잡고 울었습니다. 하루 이틀 울다가 그만두겠지 했습니다. 일주일간 저녁도 먹지 않고 껌껌한 베란다에서 울었습니다. "그만 좀 잊어버려라. 그놈의 오골계를 가지고 청승 좀 그만 떨어라. 이다음 엄마, 아빠 떨어져서 시집은 가겠나"라고 했더니, "시집가도 엄마, 아빠는 볼 수 있잖아. 오동이는 잡아먹혔겠지." 하며 서럽게 울었습니다.

오동이를 잡아먹으라고 보낸 죄책감에 한동안 새벽 기도를 가지 못했습니다. 한 달쯤 지나 새벽 기도를 갔습니다. 기도하려고 불을 끈 순간 "꼬끼~ 꺼거거걱~ 꼬끼~ 꺼거거걱~" 목에 걸리는 탁한 오동이 소리가 들립니다. 오동이다! 목사님도 차마 잡아먹지 못한 모양입니다. 우습기도 하고 미안하기도 했습니다. 우리 가족은 오동이가 살아 있어 기적이라고 좋아했습니다. 다음 해 이사를 가면서 동네를 떠날 때까지 오동이는 "꼬끼 꺼거거걱 꼬끼 꺼거거걱" 노래하며 살았습니다.

주천강에 살던, 춤추는 골뱅이

꽁지를 휘저으며
재롱을 부리다

골뱅이는 어두니골에도 많았고 다수리에도 많았습니다. 세상에서 골뱅이만큼 쉽게 구할 수 있는 것이 있다면 살아가는 데 걱정이 없었을 것입니다. 깊은 물에는 길쭉한 골뱅이가 살고 여울물 돌 밑에는 동그란 올뱅이(다슬기)가 삽니다. 강물의 특성상 얼마쯤은 여울물이 흐르다 다시 잔잔한 물로 이어져 흐릅니다.

우리 집 앞을 중심으로 위쪽은 삼치라우소 소용돌이를 지나 엉글멍들(큰 돌들이 촘촘히 붙어 있지 않고 얼기설기 엉켜 있는 모습) 한 바윗돌에 부딪혀 깊고 사나운 여울물이 허옇게 금방이라도 덮쳐올 것같이 흘렀습니다. 우리 집이 가까워지면서 '졸졸졸 소곤소곤' 즐겁게 열심히 흘러가는 맑고 깨끗한 여울물에는 동그란 올뱅이가 많이 살았습니다. 어른 엄지손가락 마디만 한 올뱅이는 낮에는 돌 밑에 숨어 있습니다. 한낮에 올뱅이가 들어 있을 만한 납작하고 잘생긴 돌을 골라 돌 밑에 두 손이 넘칠 정도로 훑어 담았습니다.

해가 설핏할 때면 올뱅이들은 돌 위로 올라와 구슬처럼 붙어 흐르는 맑은 물에 몸을 깨끗하게 씻는 것 같습니다. 올뱅이가 돌 위에 있을 때는 양손으로 돌을 감싸고 중간으로 쓸어 올려 그릇에 담으면 돌 밑에 있을 때보다 더 빨리 더 많이 건질 수 있습니다. 올뱅이는 골뱅이보다 좀 씁쓰름한 맛이 있어 건져다 절구에 척척 찧어 겨를 섞어서 닭도 먹이고 오리도 먹였습니다. 올뱅이가 허리나 무릎고뱅이(무르팍) 아픈 데 좋은 약이라고 가끔 사러 오는 사람들도 있고 건지러 오는 친척들도 있었습니다. 사람들은 널리고 쌔빠진(흔한) 올뱅이가 보이지 않는다고 온 강을 휘젓고 돌아다니면서 건지질 못합니다. 가뭄에 콩 나듯 어쩌다 한 번씩 신나게 올뱅이를 건져다 주고 돈을 만져보는 기가 막히게 좋은 날들도 있었습니다. 친척들도 한 다래끼씩 건져주면 용돈을 쥐여주고 갔습니다.

우리 집 앞 아래쪽에는 길쭉하고 맛있는 골뱅이가 많이 사는 잔잔한 모래강이 흘렀습니다. 건너편은 강물이 깊은 소를 이뤄 배를 타고 마낙(긴 줄에 한 발마다 30센티미터 정도 되는 끈을 달아 낚싯바늘을 매단 것)을 놓아 큰 고기를 잡을 수 있었습니다. 어두니골은 보아구(지명)서 우리 집 앞까지 한 2킬로미터 되는 모래강에 저녁때면 어른 손 구부렁이 같은 골뱅이가 여기저기 거뭇거뭇 드문드문 깔렸습니다. 큰 다래끼를 강가에 놓고 작은 종다래끼로 건져다 붓습니다. 어둑어둑할 때까지 건지면 큰 다래끼가 가득 찹니다. 큰 두멍 버럭지에 소금을 약간 풀고 해감을 시켜 다음 날이면 골뱅이 막장국을 끓여 밥을 말아 먹고 골뱅이를 실컷 까먹고 포식했습니다.

서울 천호동에 살던 때였습니다. 환갑이 지나 친정에 갔다가 그때 그 시절만 생각하고 손주한테 자랑하고 싶어서 물꼬내기도 잡아주고 골뱅이도 잡아주겠다고 용감하게 다리를 걷고 물에 들어가 돌을 들추었습니다. 두 손으로 훑어내니 올뱅이도 없고 잔잔한 물속에 골뱅이 한 마리도 보이지 않았습니다.

한 20년 사이에 그 많던 골뱅이가 하나도 없다니 상상할 수 없는 일입니다. 멸종 위기라는 소리는 많이 들었지만 실제로 보니 기가 막힌 일이었습니다. 진부 상류에 어느 대기업이 골프장을 만들고부터 농약 때문에 일어난 일이라고 합니다. 아버지가 살아 계실 적에 노인들이 골프장 설립을 반대한다고 머리에 띠 두르고 "물러가라! 물러가라!" 했지만 아무 설명도 보상도 없이 그냥 쓱 밀고 들어와 골프장을 짓고 말았습니다.

상류에서부터 흐르는 농약 때문에 여러 강에서 골뱅이도 물고기도 씨가 말랐습니다. 영월군 주천면 판운초등학교 근방에 큰외삼촌이 살고 계셨습니다. 외삼촌을 보고 가고 싶었지만 너무 늦어서, 차를 타고 외삼촌 집을 바라보며 "외삼촌 늦어서 그냥 가유. 다음에 오면 꼭 들러 갈게유." 하며 지나치는데 큰외숙모가 마침 앞 강에서 골뱅이를 건지고 계셨습니다. 주천강에는 아직 골뱅이가 지천이었습니다.

골뱅이를 금세 한 바가지 건져 서울로 돌아와 국을 끓여 먹고, 몇 마리는 장난삼아 큰 도자기 대접에 넣고 모래를 깔고 강돌도 놓아주었습니다. 대접을 동쪽으로 난 창가에 올려놓았습니다. 골뱅이는 낮에는 모래 속에 들어가 보이지 않다가도 오후가 되면 모래밭에 길을 내며 기어 다닙니다. 수염을 길게 빼고 돌 위에 올라붙어 있기도 합니다. 강에서 하는 모든 행동을 그대로 하는 것 같습니다. 배춧잎을 띄워주었습니다. 골뱅이는 배춧잎 위에 올라와 배춧잎을 왕성하게 갉아먹습니다. 물이 금세 지저분해져서 사흘에 한 번씩 물을 갈아줍니다. 수돗물을 대야에 받아 사흘간 두었다 지나서 물갈이를 해줘야 합니다.

창가에 해가 밝게 비치는 아침이었습니다. 물을 갈아주려고 보니 골뱅이는 상추에 얼굴을 붙이고 거꾸로 서서 꽁지 쪽을 빙글빙글 돌리며 춤을 추고 있습니다. 처음 한 마리가 시작하면 모두 꽁지를 휘저으며 열심히 춤을 춥니다. 다 같이 춤을 추면 물이 찰랑거립니다. 골뱅이가 재롱을 부릴 줄은 몰랐습니다. 먹으려고 잡을 때는 잘 몰랐는데, 제법 하는 짓이 귀엽습니다.

어느 날 물을 금세 갈아줬는데 뭔가 까만 것이 물 위에 둥둥 떠서 날파리가 빠진 줄 알고 건졌는데, 돌아서니 또 까뭇한 것이 둥둥 떠 있었습니다. 자세히 보니 골뱅이 새끼가 너무 가벼워서 떠오른 것이었습니다. 암수 구별도 할 수 없는 골뱅이가 어떻게 새끼를 낳았는지 알 수 없었습니다. 예전에 여름이면 물웅덩이에 메밀달개미를 풀어놓은 것같이 골뱅이 새끼가 가득했는데, 도자기 그릇에서도 가득 차도록 새끼를 낳은 것입니다.

물 갈아주기가 더 까다로워졌습니다. 새끼 골뱅이가 떠내려갈까 봐 조리를 대고 걸러 물을 갈아줘야 했습니다. 골뱅이가 다 크면 어디에다 키울지 고민이 되었습니다. 남편이 골뱅이를 한강에다 풀어주자고 했습니다.

우리 가족은 다 같이 한강으로 가 너무 깊지 않은 모래밭에 골뱅이를 살며시 부었습니다. 아주 조심해서 부었는데도 엄마 골뱅이고 아기 골뱅이고 다 나뒹굽니다. 목을 허옇게 드러내고 죽은 척하고 일어나지 않습니다. 한참을 조용히 기다리니 골뱅이들이 일어나 딱지 붙은 얼굴을 모래밭에 대고 기어가기 시작합니다. 우리 가족은 골뱅이들에게 넓은 강에서 번성하고 번성하라고 당부, 당부하면서 돌아왔습니다.

제 이름을 잊지 않고
대답한 잎새

가장 예뻤던
고양이

20여 년 전 경기도 성남 검단산 밑에 살던 때의 일입니다. 어느 여름 청계산 기도원에 갔다가 고양이 새끼 한 마리를 얻어 가지고 왔습니다. 집에 오자 '야옹야옹' 울기 시작합니다. 조금 울다가 말겠지 했는데 삼 일 밤낮을 잠깐 조는 시간을 빼고는 웁니다. 너무 영악스럽게 울어서 좀 부드러우라고 '잎새'라는 이름을 붙여주었습니다. 나흘째 되는 날, 오늘은 도로 데려다줘야겠다고 아침을 먹고 있는데 식탁 밑에서 '양양' 소리가 납니다. 잎새가 식탁 밑에 떨어진 갈치 부스러기를 주워 먹고 있습니다. 너무 기특해서 아예 갈치 토막을 하나 구워서 주었더니 암팡지게 양양거리며 다 먹었습니다. 기운을 차려 제법 애교를 부리며 놀기 시작합니다.

많은 고양이를 키워봤지만 잎새처럼 예쁜 고양이는 처음 봅니다. 등이 고등어처럼 얼룩얼룩한 회색 줄무늬 암놈인데, 배는 또 하얗습니다. 정수리에서 회색과 검은색 줄이 가늘게 양 눈썹 위까지 흐르듯이 내려와 호랑이 같습니다. 미간에서 아주 살짝 회색이 양옆으로 흘러 콧날이 더 오뚝해 보입니다. 분

홍색 코에 눈 아래로 모가지 밑에까지 아주 고운 흰색 털이 이어져 있습니다. 눈가에 검은색 아이라인을 정교하게 그려놓은 것 같습니다.

잎새는 사람 손을 보면 흥분해서 장난칩니다. 손이 무슨 사냥감이라도 되는 것처럼 멀리서 달려와 팍 무는 시늉도 하고, 손이 친구인 양 처음에는 장난처럼 살살 하다가 점점 엄청난 힘으로 물고 쫍니다. 후려 때려야 쫓겨갑니다. 밤에도 자지 않고 손을 찾아 장난쳐서 여름인데도 긴팔 옷소매에 손을 감추고 잡니다. 새끼 시절이 지나자 장난을 덜 치고 눈치가 빨라졌습니다. 평소에는 만질까 봐 피해 다니는 놈이 배가 고프면 갖은 애교를 다 떱니다. 새벽 4시면 꼭 밥을 먹습니다. 곁에 와서 손을 핥습니다. 그래도 일어나지 않으면 머리카락을 잡아당기다가 엎드리면 등을 밟아줍니다. 잎새의 무게로 밟으면 등이 가장 시원합니다.

집에 온 지 1년이 되어가는 어느 날, 잎새는 '앙웅앙웅' 쉬지 않고 밤낮으로 소리를 지릅니다. 그때는 중성화 수술을 해야 하는 줄 몰랐습니다. 이웃 사람들 보기 남사스럽습니다. 집 앞

비탈밭 원두막에 데려다 놓았습니다. 집 안에서는 갖은 영악을 다 떨면서 밖에 나가면 무서워서 벌벌 떨며 찍소리도 못 내고 사람 품만 파고들어서 도로 집으로 데리고 왔습니다. 집에 들어오면 또다시 괴성을 지릅니다. 한 열흘은 소리를 질러야 끝납니다. 주기도 빨리 돌아옵니다. 이번에는 길고양이가 많이 다니는 삼거리 만물상에 데리고 가서 헙수룩한 상자 창고에 좀 있게 해달라고 부탁했습니다. 사료와 물을 넣어주었습니다. 매일 가 보면 사료도 물도 먹지 않은 채 구석에 숨어 있는 것을 삼 일 만에 집으로 데려왔습니다.

잎새는 조용해졌습니다. 그 뒤 한 달이 지나자 점점 배가 불러왔습니다. 두 달이 좀 지난 어느 날, 잎새는 양수가 터졌습니다. 구석에 상자를 놓고 포대기를 깔고 어두컴컴하게 가려주었습니다. 어찌 된 일인지 다음 날도 새끼를 낳지 않아 동물병원에 데려가 배에 있는 털을 밀고 초음파를 했는데 새끼가 없습니다. 상상 임신이랍니다.

다음 해 이른 봄, 발정이 왔을 때 또 만물상 창고에 일주일 동안 보냈습니다. 이번에는 정말 새끼를 밴 것 같습니다. 두 달쯤 지나자 양수가 터졌습니다. 아침부터 진통해 곧바로 병원

에 데리고 갔습니다. 큰일 날 뻔했다고, 새끼 한 마리가 죽어 가로막고 있어 다른 새끼들이 나올 수 없다고 합니다. 제왕 절개로 죽은 새끼를 꺼내고 세 마리의 새끼 고양이를 살렸습니다. 배를 가른 김에 중성화 수술도 했습니다.

잎새는 멀거니 눈을 뜨고 아무것도 먹지 못한 채 누워 있습니다. 그래도 새끼는 중해 젖을 먹였습니다. 좋아하는 참외 속을 주었더니 기운을 차려서 사료를 먹기 시작합니다. 삼 일이 되자 다른 구석으로 새끼를 물어 옮겨놓고 키웁니다. 잎새는 삼 일마다 장소를 옮기다 자리가 마땅찮으니 새끼를 데리고 책꽂이 아래 칸에 비집고 들어가 삽니다. 하루는 다른 방으로 이사하느라고 새끼의 모가지를 물고 가다가 힘이 들었는지 새끼 주둥이를 물고 끌고 갑니다. 너무 애쓰는 것이 딱해서 한 마리 남은 것을 날라다 주었습니다. 그랬더니 자꾸만 한 마리가 모자란다고 내놓으라고 '앙웅앙웅' 눈을 부릅뜨고 계속 큰 소리를 지릅니다.

"잎새야, 여봐라. 하나, 둘, 셋, 세 마리 다 있잖아." 아무리 해도 잎새는 계속 내놓으라고 소리를 지릅니다. 할 수 없이 몰래 한 마리를 다른 방에 가져갔다가, 잎새를 불러 여기 있다 하며 보여주었습니다. 그제야 젖을 먹이고 가만히 있습니다.

가을이 되자 고양이 새끼들은 온 집안을 돌아다니며 장난합니다. 두 마리는 어미를 닮았고 한 마리는 다람쥐같이 노랗고 알록알록합니다. 그런데 또 발정기가 된 모양입니다. '앙웅'거리기 시작합니다. 분명히 새끼를 낳지 못하게 수술했는데 옆집에선 그 소리 때문에 잠을 자지 못한다고 자꾸만 뭐라 합니다.

걱정입니다. 친정에서 연락이 왔습니다. 키우던 고양이가 다 집을 나갔답니다. 고양이가 새끼를 낳았으면 남 주지 말고 다 다수리로 갖다 달라고 합니다. 잎새와 새끼 세 마리를 데려다주었습니다. 가끔 전화로 잎새의 소식을 듣습니다. 집 안에 살던 잎새 가족들은 밖에서도 잘 적응해 추운 겨울을 무사히 났다고 합니다. 봄이 되자 암컷 새끼 두 마리가 제 새끼를 낳고 어미를 얼씬도 못하게 해서 잎새가 집을 나갔다고 합니다. 잎새는 보내지 말걸 그랬다고 후회했지만 늦었습니다.

가을에 식구가 다 같이 친정집에 갔습니다. 딸내미 둘이 "잎새야, 잎새야~." 동네를 돌아다니면서 큰 소리로 불러보았습니다. 어느 집 비닐하우스에서 "야옹야옹" 아주 가냘픈 목소리로 대답하며 잎새가 나왔습니다. 제 이름을 잊지 않았던 것입니다. 배에는 시커먼 골탄이 묻어 괴로워하고 있었습니다. 비쩍 마른 것이 아주 거지꼴이었습니다. 우리 가족을 보자 너무 반가워하며 다가와 비비며 야옹거립니다. 딸들이 잎새를 서로 안고 온다고 했지만 잎새는 내 무릎에 안겨 아주 편안하게 자며 집으로 돌아왔습니다.

잎새를 목욕시켰지만 배에 붙은 골탄은 씻어지지 않았습니다. 털을 말리고 가위로 깎아내려 해도 살에까지 밀착돼 잘 뜯어낼 수 없습니다. 집에 돌아온 잎새는 너무나 익숙하게 화장실에도 가고 집 안도 여기저기 구석구석 돌아봅니다. 집에 온 지 두 달쯤 지나니 배에 골탄이 다 떨어지고 고운 털이 났습니다. 옛날의 예쁜 모습으로 살게 되었습니다.

두 번 돌아온 '고고'

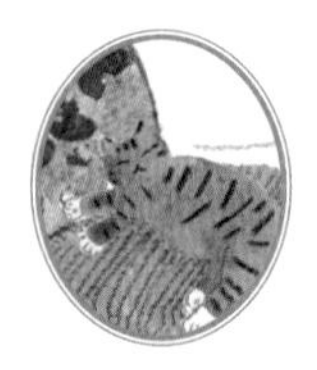

이래저래 애태운

고양이

옛날에 짐승을 가축으로 여러 종류를 많이 키울 때는 병치레도 잘 하지 않고 쉽게 잘 컸습니다. 그때는 고양이나 개를 방안에 가두고 키우지 않았습니다. 자연에 그대로 풀어놓고 때맞춰 밥을 주고 물을 주면 마음껏 뛰어놀고 쑥쑥 잘 자랐습니다. 때가 되면 알아서 털갈이를 해서 날마다 씻겨주는 것보다 훨씬 윤기 나고 고운 털을 유지했습니다. 짐승은 밖에 두고 보살피면 알아서 돌아다니며 아주 건강하고 예쁘고 영리하게 잘 살았습니다.

베트남에 산 지 10년이 되었습니다. 나는 친정에서나 시집에서나 항상 가족이 많아서 외로움을 모르고 살았습니다. 베트남으로 떠나오기 전, 큰딸이 시집갈 때 놓고 간 스누피 인형을 손주가 할머니 거라고 짐 속에 넣어주었습니다. 워낙 먼 베트남에 와서 아는 사람이 없을 때 스누피 인형한테 위로받고 살았습니다. 남편이 딱했는지 어느 날 조그만 고양이 한 마리를 데려왔습니다.

아파트에 조그만 고양이 새끼 한 마리를 달랑 갖다 놓고 키우다 보니 그야말로 애가 탑니다. 하도 애가 타서 애완동물이라 하는 것 같습니다. 대소변도 가릴 줄 몰라 멀쩡히 놀다가도 침대 위에 올라가서 쌉니다. 고양이가 제 화장실을 사용하기까지 별별 수다를 다 떨고 신경을 써야 했습니다. '고고'는 멀쩡히 잘 놀다가도 사람 소리만 나면 창고 방으로 가 숨어서 나오질 않습니다. 우리 집에 오던 첫날, 같이 있던 이웃 최 집사와 가끔 엄마를 따라 놀러 왔던 민영이 외에는 절대 알은체를 안 하려고 합니다.

1학년인 민영이는 고양이 고씨에 고기를 좋아하니까 '고고'라고 이름을 지어 주었습니다. 민영이는 고고를 보여주려고 연서, 지호, 유호, 제인이를 데리고 왔습니다. 고고는 민영이만 온 줄 알고 반가워서 나왔는데 낯선 친구들을 보자 창고 방으로 들어가 코빼기도 볼 수 없습니다. 민영이보다 한 살 위인 연서 형아를 중심으로 동갑인 지호, 유호, 한 살 아래인 제인이가 둘러앉아 고고를 보기 위한 작전을 짭니다. 앙증맞기가 어린 고고와 맞먹는 수준들인데 자기네끼리는 서열이 깍듯합니다. 고고 덕분에 덤으로 민영이 친구들의 재롱을 보게 되었습니다.

고고는 아무도 없으면 졸졸 따라다니면서 온갖 참견을 다

합니다. 하루는 베트남 특산인 수수라는 나물을 삶아 담가놓았는데 발로 살며시 건져 먹고 있는 겁니다. '아! 고고가 삶은 나물을 좋아하는구나.' 이것저것 줘봤습니다. 나물이라고 무조건 먹는 것이 아니고 수수 나물은 줄기만 먹고 잎은 먹지 않습니다. 비슷하게 생겼어도 흰색 콜리플라워는 먹지 않고 파란 브로콜리만 먹습니다. 삶은 배추 이파리를 주었습니다. 조금 있다 보니 무슨 징그러운 지네 같은 것을 가지고 놀고 있습니다. 자세히 보니 고고가 삶은 배추 이파리만 먹고 줄기를 화장실로 끌고 들어가 모래를 묻혀 지네처럼 만들어 놀고 있던 것입니다.

베트남에 온 지 3년째 되는 해, 땅을 빌려 교회를 짓고 이사했습니다. 고고는 이삿짐 나르는 인부들 때문에 놀랄까 봐 가방에 넣어 맨 마지막 실을 물건 밑에 감추어놓았다가 이삿짐과 함께 실어왔습니다. 방 하나를 먼저 꾸려 고고를 방에 풀어주었습니다. 이삿짐 아저씨들이 잘못 알고 가구를 들고 방으로 들어갔습니다. 고고는 깜짝 놀라서 창문을 뛰어넘어 건물 뒤 좁은 골목을 지나 풀밭으로 도망갔습니다. 이틀이 지나도 들어오지 않았습니다. 생각이 짧았습니다. 고양이를 먼저 이

사시키고 방문을 잠갔으면 될 일을. 고고가 다시는 돌아오지 않을 것 같습니다.

이틀이 지난 밤중에 뒷골목에서 조그맣게 고양이 소리가 들립니다. 반가워서 맨발로 뛰어나갔습니다. “고고야, 어서 와. 얼마나 고생이 많았니.” 고고는 그동안 있었던 일을 이야기하는 것 같습니다. 도로 골목 끝까지 돌아가 야옹야옹합니다. 벽을 기어오르는 시늉도 합니다. 놀라서 빨리 뛰어 골목으로 도망갔다고 이야기하는 것 같습니다. 아주 몸을 웅크리고 공포에 질려 벌벌 떠는 시늉도 합니다. 한 20미터 되는 좁은 골목을 들어오는 데 30분 넘게 걸렸습니다. 여러 번 이야기한 끝에 집으로 들어왔습니다.

집에 들어오자 허겁지겁 밥을 먹더니 잠이 들었습니다. 아무리 굴려도 모르고 꼬박 하루 밤낮을 자고 일어났습니다. 애교가 더 늘었습니다. 1층

집이니 통제가 안 됩니다. 문 열 때마다 뛰어나가고 창문을 넘어 마당 풀밭을 돌아다니며 열심히 사냥합니다. 강아지처럼 큰 쥐가 기어가면 무서워서 집 안으로 도망칩니다. 아직 올챙이 꼬리가 붙은 개구리도 잡아오고 골방 쥐 새끼도 잡습니다. 사냥한 다음엔 물고 와서 야옹거리며 보여줍니다. 칭찬해주면 가지고 놀다가 먹지 않고 내 침대 밑에 갖다 놓았습니다.

마당 있는 집에 살다 보니 점점 짐승들이 늘어났습니다. 강아지도 네 마리나 키웠고 열두 마리의 꼬꼬도 키우게 되었습니다. 꼬꼬 먹이로 참깨를 주다 보니 마당에 참깨가 저절로 자라기 시작했습니다. 먹이가 있으니 베트남에서 보기 드문 귀한 새들이 날아들었습니다. 시내에서는 참새나 겨우 볼 수 있는데 까치처럼 큰 새도 날아와 놀다 갑니다.

아주 예쁜 파랑새 부부가 하루에 한 번씩 꼭 날아와 참깨를 먹으며 즐겁게 놀다 갔습니다. 고고는 파랑새가 올 때마다 풀밭에 숨어서 엉덩이를 얄랑거리며 잡을 기회를 노립니다. 그래도 어린 놈이 설마 새를 잡으려니 했습니다. 하루는 작은방에 들어가 보니 파랑새 털이 많이 흩어져 날리고 있었습니다. 마당에는 파랑새 한 마리가 혼자 와서 슬픈 소리로 울다 갑니다. 남편은 "고고 이 새끼, 시카리(서캐) 새끼. 그 새는 아빠가 키우는 건데 잡아먹으면 어떻게 해!" 하며 쥐어박았습니다. 고고는 꽁지 있는 개구리, 골방 쥐 새끼는 잡아도 나를 주고 파랑새는 몰래 먹고 털만 남겼습니다.

어물쩍하다 중성화 수술을 하지 못했는데 고고한테 발정기가 왔습니다. 며칠 동안 "아아오옹~ 아오오옹~." 별나고 시끄럽게 쉬지 않고 울어댑니다. 한참을 앙앙거리던 고고가 달려오더니 나한테 껑충 뛰어올라 힘을 다해 왼쪽 팔을 물고 할퀴며 대들었습니다. 억지로 떼어서 창밖으로 던지고 창문을 닫았습니다. 다시 들어오려고 뛰어올랐지만 창문에 쿵 부딪혀 떨어졌습니다. 고고는 집 뒷골목으로 도망갔습니다. 팔에 고고 발톱 자국이 나고 피가 흐르고 맺혔습니다. 창문을 너무 빨리 닫아 창에 부딪힌 게 잘못되지는 않았나, 걱정입니다.

사흘째 되던 날, 오후 2시쯤 되었는데 뒷골목에서 고고 소리가 아주 조그맣게 들립니다. 남편이 듣고 "고고, 이놈 못된 버릇을 한다고 내쫓아버린다"고 달려갑니다. 내가 얼른 뛰어가서 "고고야 괜찮다, 어서 들어와라." 했습니다. 이번에는 아주 미안해서 쩔쩔매는 시늉을 합니다.

작은 소리로 아옹아옹하고 벽을 확 할퀴는 시늉을 하고 엎드려 있기도 합니다. 거지꼴이 다 된 놈이 납작 엎드려서 아주 조금씩 조금씩 기어 오느라고 들어오는 데 한 시간은 걸렸습니다. 씻기를 싫어하는 놈이 따뜻한 물에 씻기니 가만히 있습니다. 서둘러 중성화 수술을 했습니다. 고고는 창문을 넘어 밖으로 나다니다 흙 묻은 발로 들어와 꼭 침대 위에 올라가 잡니다. 40도가 넘는 날씨에도 대낮에 침대 위에 올라가 매일 이불을 뒤집어쓰고 늘어지게 잡니다. 고고는 베트남에서 키운 첫 애완동물로 이래도 저래도 나의 애를 많이 태우며 같이 살았습니다.

사랑을 돌보느라
믿음을 저버리다

형제 강아지,
사랑이와 믿음이

나는 목회자인 남편과 함께 베트남 하노이에서 10년째 살고 있습니다. 하노이에 온 지 3년쯤 되었을 때 우리는 꽤 넓은 땅을 빌려 교회를 짓고 이사했습니다. 시골 출신으로 땅만 보면 뭔가 심고 가꾸길 좋아하는 나와 남편은 망고나무도 50그루 심고, 잔디도 심어 정원을 가꾸었습니다. 그러고도 남은 땅은 나중에 건물을 지으려고 풀밭으로 그냥 두었습니다. 길가 쪽으로 아름드리 바나나나무가 여러 포기 있었습니다. 바나나나무 밖으로 높이가 2미터 되는 함석으로 담을 둘러쳤습니다.

이사한 다음 날, 빈푹에 사는, 개를 사랑해도 너무 사랑하는 주 집사가 강아지 암수 두 마리를 키우라고 데려왔습니다. 무엇이 그리 급한지 이사하고 정리도 안 되고 마음 추스를 사이도 없었는데 어린 강아지들을 데려와서 속으로 무척 야속했습니다. '고고'가 있어 고양이나 잘 키우려고 했습니다. 그래도 데려온 생명이니 거절할 수 없어 키우기 시작했습니다.

강아지들은 주일학교 어린이들에게 인기가 좋습니다. 강아지가 다 닳아 없어질까 무서울 정도로 서로 강아지를 안고 다닙니다. 특별히 강아지를 좋아하는 다경이와 다은이가 암놈은 '사랑', 수놈은 '믿음'이라 이름 지었습니다. 사랑이가 믿음이보다 똘똘합니다. 건물 뜨락이 블록 세 장 정도 높이인데 사랑이는 염려 없이 오르락내리락하는데 믿음이는 그 뜨락을 올라오지 못해 "깨갱깽… 깽깽깽…." 합니다. 벽돌로 계단을 쌓아주었는데도 올라오다 굴러떨어지기 일쑤입니다. 밖에서 놀다가 굳이 집 안에 들어와서 대소변을 볼 정도로 철이 없습니다.

그러던 믿음이가 콧물이 줄줄 흐르며 밥도 잘 먹지 못합니다. 주일날입니다. 다경이네 세 모녀는 아주 예쁜 꽃무늬 가방을 가지고 왔습니다. 가방이 예쁘다 생각했는데 점심을 먹고는 그 가방에다 믿음이를 담아서 동물병원에 데리고 갔습니다. 믿음이는 주사도 맞고 약을 5일치 받아왔습니다. 약을 다 먹고도 낫지 않으면 통원 치료를 받으라고 했답니다. 5일 동안 약을 먹고 나니 믿음이는 아주 똘똘하고 건강한 개구쟁이로 변했습니다.

강아지를 키우기도 정신없는데 남편은 병아리 열두 마리를 또 사왔습니다. 병아리를 사온 날, 사랑이와 믿음이를 불러서 절대 병아리를 건드리면 안 된다고, 건드리면 혼날 줄 알라고,

병아리를 입에 대주고 회초리로 살짝 몇 대 때려주었습니다. 꾀 많은 고양이 고고는 쫓아오다가 강아지가 맞는 걸 보고 냅다 도망을 뺍니다. 사랑이와 고고는 병아리를 건드리지 않았습니다. 믿음이도 병아리를 물지는 않는데, 깃털만 보면 주워 먹었습니다.

하루는 풀밭에서 사랑이가 자꾸만 짖어댑니다. 가보았더니 믿음이가 병아리 한 마리를 앞발로 누르고 털을 거의 다 뽑아 먹고 있었습니다. 사람이 다가가자 믿음이는 잽싸게 도망쳐 바나나숲 뒤에 가서 숨었습니다. 털을 몽땅 뽑힌 병아리는 숨만 벌렁벌렁하다가 숨졌습니다. 믿음이는 병아리를 잡아먹지 말란다고 털만 뽑아 먹었는지 털이 맛있어서 먹었는지는 잘 모르겠습니다.

사랑이와 믿음이는 눈에 보이게 쑥쑥 커서 강아지 티를 벗고 개의 면모를 갖추어갑니다. 사랑이는 좀 누리끼리한 색에 주둥이 언저리나 발 같은 데가 약간 검은색입니다. 얼굴이 좀 길다는 느낌이 있지만 점잖고 지혜가 있어 말썽을 부리지 않습니다. 믿음이는 옅은 커피색인데 짱구 이마가 귀여움을 더합니다. 귀 끝이 검고 가슴에서 목 밑까지 검은색 브이(V) 자가 있어 정말 멋있습니다. 오는 사람마다 믿음이의 짱구 이마를 만져보고 좋아들 합니다.

베트남 땅에선 들깨는 잘 자라지 않는데 참깨가 잘됩니다. 병아리 먹이로 준 참깨가 돌짝(자갈)밭에서 아주 알차게 영글었습니다. 사랑이와 믿음이는 개구쟁이 애들처럼 병아리 밥도 뺏어 먹습니다. 하노이에서는 새를 보기 힘든데, 먹이가 있으니 새들이 모여들었습니다. 사랑이와 믿음이는 귀를 나풀거리며 새를 잡으려고 풀밭을 마음껏 뛰어놉니다. 풀밭에는 강아지만 한 쥐들이 겁 없이 들어옵니다. 특히 믿음이는 날렵하게 쥐 사냥을 잘합니다. 쥐는 급하면 2미터 되는 울타리를 넘어가려고 뛰어오릅니다. 울타리에 부딪히는 소리만 요란할 뿐 넘어가지 못하고 꼼짝없이 잡혀서 놀잇감이 되고 맙니다. 혹시나 쥐약을 먹은 쥐면 어떡하나, 쥐를 먹으면 어떡하나 걱정했지만 사랑이와 믿음이는 쥐를 가지고 놀다가 버리고 먹지는 않았습니다.

씩씩하던 사랑이가 어느 날부터인가 밥을 먹지 않고 비실비실 누워만 있습니다. 믿음이가 같이 놀자고 아무리 뽀뽀하고 발로 끌어당겨도 꼼짝하지 않습니다. 밥을 먹지 않고 시름시

릅 앓는 개 전염병이 돈다고 합니다. 평생 개를 여럿 키워봤지 만 개가 죽은 적은 없었습니다. 약도 사다 먹이고 북어 대가리를 푹 삶은 물을 입을 벌려 수저로 떠먹입니다. 미음을 끓이고 약을 구해다 먹인 지 일주일이 되자 사랑이는 조금씩 밥을 먹기 시작합니다. '그러면 그렇지, 개는 원래 잘 죽지 않는 법이야.' 마음을 놓았습니다.

사랑이만 돌보느라고 믿음이한테 전염된다는 생각을 하지 못했습니다. 믿음이가 바나나숲 그늘에 누워서 꼼짝하지 않습니다. 주 집사는 자기네 개들도 며칠 비실비실 앓다가 다들 툭툭 털고 일어났다고 걱정하지 말라고 합니다. 사랑이가 앓고 일어났기 때문에 별로 걱정하지 않았습니다. 너무 뭘 먹지 않아서 오늘은 병원에 데리고 가봐야겠다고 생각했습니다.

잘 움직이지 않던 믿음이가 억지로 걸어오는 것이 보입니다. '이제 정신이 좀 드는구나' 생각했습니다. 그런데 억지로 뜨락까지 올라오더니 푹 쓰러졌습니다. "믿음아, 많이 아파? 오늘은 병원에 가보자." 말하는데 파리 떼가 벌써 믿음이 입 주변에 달라붙기 시작합니다. 안아 올리자 몸은 다 굳어 있고 목울대만 몇 번 벌렁벌렁하더니 목이 툭 떨어졌습니다. 다물지 못한 이빨 틈새로 쉬파리 떼가 쫓아도 쫓아도 모여들었습니다.

"믿음아 미안하다. 믿음아 미안하다. 엄마가 너무 방심했구나."

믿음이를 안고 많이 울었습니다. 남편은 큰 쌀자루에 넣어 믿음이가 뛰어놀던 풀밭에 묻어주었습니다.

세월이 흘러도 죽어가던 믿음이를 잊을 수 없습니다. 믿음이는 단순한 돌림병이 아니라 뭔가 잘못 먹어서 병이 깊게 든지도 모를 일입니다. 내 평생 동물을 키우면서 믿음이가 죽은 것이 가장 미안한 일로 남아 있습니다.

씽씽아,
우리를 잊어버려

손주들이 키운
이구아나

지금은 초등학교 3학년이 된 손녀딸 지우가 한 살 때 일입니다. 인천에 사는 큰손자 우진이한테 전화가 왔습니다. 할머니, 우리 집에 너무나도 귀여운 씽씽이가 있으니 보러 오시라고 합니다. 조금 있다가 작은손자 우혁이도 전화를 합니다. '씽씽이를 보러 오시라고.' 씽씽이가 뭐냐고 물어도 와보시면 안다고 합니다. 어린놈들이 하도 자랑해서 성남에서 전철을 몇 번 갈아타고 씽씽이를 보러 갔습니다. 큰딸은 "엄마, 주말에 우리가 가면 같이 오지, 그 먼 데를 오셨어요." 하면서 반가워합니다.

조그만 유리 상자에 길이가 10센티미터쯤 될까 눈이 빠끔한 가느다란 이구아나 새끼가 들어 있습니다. 이름이 '씽씽이'랍니다. 온 가족이 둘러앉아 들여다보며 좋아들 합니다. 우진이가 마트에 갔는데 이구아나가 무척 귀여워 보여서 아버지를 졸라 사왔답니다. 우리 집에 이렇게 예쁜 이구아나를 사온 것은 자기의 공로라고 주장합니다.

상추 등 여러 채소를 넣어주었더니 조금씩 뜯어 먹고 있습니다. 애들은 귀엽다고 예쁘다고 하는데, 푸르뎅뎅한 색에 등에 비늘이 비죽비죽 서 있는 게 무지 징그럽습니다. 고양이라도 한 마리 키우지, 하는 생각이 듭니다. 움직이지도 않고 가끔 눈만 껌뻑거려 애완동물이 아니고 무슨 관상용 같다는 생각도 듭니다.

한동안 가지 않다가 큰딸네에 가 보면 씽씽이는 놀랍도록 많이 자라 있었습니다. 어느 날인가 보니 유리 상자 안에 있어야 할 씽씽이가 감쪽같이 없어졌답니다. 온 식구가 종일 찾아도 찾지 못했습니다. 혹시나 어디라도 있으면 먹으라고 사료를 방구석마다 놔두고 주방에도 물과 같이 두었습니다. 며칠이 가도 사료를 먹은 것 같기는 한데 찾지는 못했습니다. 7일 만에 큰딸이 방청소를 하다 보니 우진이 방 침대 곁에 붙어 있는 것을 발견했답니다. 그날 지우는 현관문이 열릴 때마다 씽씽이를 찾았다는 기쁜 소식을 전하는 전령사가 되었습니다.

씽씽이는 주기적으로 허물을 벗는데 허물 벗는 모습도 재미있다고 합니다. 살가죽이 쩍쩍 갈라지며 허물이 벗겨지고 사람이 옷을 갈아입을 때처럼 쌈박하고 쑥쑥 자란다고 합니다. 솜씨 좋은 사위는 씽씽이가 크는 대로 유리 상자를 새로 짜고 속에 들어가는 소품도 새로 제작합니다.

손주들은 씽씽이 쟁탈전을 벌입니다. 서로 장가가면 씽씽이는 자기가 데리고 가겠다고 합니다. 지우도 씽씽이는 자기 것이라고 소리소리 지르며 주장합니다. 짓궂은 오빠들은 지우를 놀리느라 자기 것이라고 더 우기며 소동을 벌입니다.

5년쯤 되니 씽씽이는 긴 꼬리까지 1미터 넘게 컸습니다. 사위는 지우 방에 1미터 높이의 거의 벽 한 폭을 차지하는 유리 상자를 만들었습니다. 유리 상자 속에는 씽씽이가 편히 누워 쉴 수 있는 씽씽이 침대도 있습니다. 씽씽이가 올라갈 수 있는 나무 타워도 더 멋지게 만들었습니다. 전구도 두 개 넣어 골고루 따뜻하게 만들었습니다. 씽씽이도 넓은 집을 맘에 들어 하는 것 같습니다. 씽씽이는 양쪽 다리를 번갈아 들고 큰 눈을 껌벅거리며 춤을 춥니다.

내 생각에는 다른 방에다 만들지 어린 여자아이가 무서워할 것 같았는데, 지우는 씽씽이를 보면 눈에서 꿀이 뚝뚝 떨어집니다. 씽씽이만 보면 웃음이 절로 납니다.

그러던 어느 날 건강하던 씽씽이가 며칠째 좋아하는 애호박도 잘 먹지 않았습니다. 늘 타워 위에서 놀았는데 바닥에 엎드

씽씽아.

씽씽이에게 꼭 해주고 싶은 말이 있다.
씽씽아 만약 다시 태어난다면 사람에게
잡히지 않도록 조심하길 바라.
우리를 기억에서 지워버려.
좋은 친구들과 신나고 자유롭게 해보지 못한
모든 것을 해보고 잘 살기를 바라.
언젠가 하늘나라에서 만나자. 너무 너무
미안했다.

-우진이가

려 잘 움직이지도 않습니다. 동물병원에 물어봐도 잘 모른다고 했답니다.

어떡하나 어떡하면 좋을까 걱정하는데, 어느 날 아침 씽씽이가 움직이지 않았습니다. 학교에 가려던 우진이가 발견했습니다. 아이들 셋이 아주 큰 소리로 집이 떠나갈 듯이 울었습니다. 뭐라 달랠 수가 없습니다. 세상에 어떤 말로도 위로가 되지 않습니다. 울음을 그치지 않는 우진이와 우혁이를 엄마가 억지로 학교에 데려다주었답니다. 우진이와 우혁이는 학교 수업 시간에도 눈물이 멈추지 않았다고 합니다. 둘은 사흘 밤낮을 울었습니다. 아이들 말로는 평생 울 울음을 다 운 것 같다고 합니다.

사연을 들은 선생님들은 '씽씽이가 하늘나라로 간 것은 참 슬프겠구나. 만남이 있으면 이별도 있는 것이니까 하늘나라에서 잘 살 수 있도록 빌어주라'고 달랬다고 합니다.

큰딸은 지금도 애호박만 보면 씽씽이가 좋아하던 건데, 많이 먹이지 못한 것이 미안하다고 합니다. 지금 와서 생각하니 애들 아빠한테도 많이 미안한 마음이 든답니다. 사위 혼자 씽씽이를 묻어주고 정성 들여 만든 씽씽이의 집도 혼자 다 처리

했습니다. 큰딸 얘기로는 사위가 그때 끊었던 담배를 다시 피운 것 같다고 합니다.

천방지축 꼬맹이였던 큰아이는 아빠만큼 키가 훌쩍 커서 이번에 고등학생이 됩니다. 작은아이는 중2가 되었습니다. 씽씽이 이야기를 들려달라고 하니 그날의 일기장을 들여다보며 그때를 추억합니다.

씽씽아.

씽씽이에게 꼭 해주고 싶은 말이 있다.

씽씽아 만약 다시 태어난다면 사람에게 잡히지 않도록 조심하길 바라.

우리를 기억에서 지워버려.

좋은 친구들과 신나고 자유롭게 해보지 못한 모든 것을 해보고 잘 살기를 바라.

언젠가 하늘나라에서 만나자, 너무너무 미안했다.

-우진이가

이름이 여럿인
달콩이

고양이 사랑에 푹 빠진
큰딸 가족

큰딸은 인천 만수동에서 독서 모임을 하고 아이들 논술 지도도 하면서 한창 재미있게 살고 있었습니다. 사위의 직장이 경기도 화성이어서 하루 출퇴근 시간이 4시간씩 걸린다고 늘 걱정했습니다. 어느 날인가 결단을 내리고 화성으로 내키지 않는 이사를 했습니다. 시내에서 좀 멀리 떨어진, 아파트 뒤쪽이 넓은 전원지로 이어져 한적한 곳이었습니다.

처음엔 마음을 붙이고 살기 어렵다고 했습니다. 달밤에 아이들을 데리고 놀이터에 나갔습니다. 거기에서 콩 색깔이 나는 고양이를 만났답니다. 처음 만났는데 오래전부터 아주 친한 사이처럼 발라당 누워 뒹굴면서 반가워합니다. 한참 같이 놀다가 집으로 오는데 졸졸 따라왔습니다. 내일 다시 만나자고 억지로 떼어놓고 집으로 왔습니다.

달밤에 만난 콩 색깔이 나는 고양이라 해서 '달콩이'라 이름 지었답니다. 달콩이는 만나는 사람마다 반갑지 않은 사람이 없습니다. 달콩이는 동네 인기 스타입니다. 누구는 '나비야~' 부르고, 누구는 '곰돌아~' 부르기도 하지만 그 많은 이름을 다 좋아하는 것 같습니다. 뭐라 불러도 야옹 대답합니다. 다들 자기네 나름대로 간식도 주고 밥도 챙깁니다. 사람들이 아파트 옆 골목에 스티로폼으로 따뜻하게 집도 만들어주고 밥도 주었습니다.

많은 길고양이가 모여 밥을 먹고 놀고 하지만 다른 고양이들은 아무리 친절하게 해줘도 사람을 보면 피합니다. 유독 달콩이만 사람을 아주 잘 따릅니다.

어느 날 달콩이가 보이지 않고, 달콩이가 놀던 길목 담벼락에 작은 쪽지가 붙어 있었습니다. "여기에 살던 길고양이는 제가 입양 보냈습니다. 여러분이 궁금해할까 봐 알려드립니다. 사람을 너무 좋아해 혹시 해코지를 당할 수도 있을 것 같아서 고양이를 좋아하는 집으로 보냈습니다. 잘 키울 테니 걱정하지 마세요. 이웃집 아저씨"라고 쓰여 있었습니다.

한시름 놓았지만 허전하고 섭섭했습니다. 누가 데려가기 전에 우리가 데려다 키울걸 그랬다고 아이들은 후회도 했습니다. 한참 뒤에 안 일이지만 딸네 집 위층에 사는 아저씨가 고양이를 너무 좋아해 길고양이를 많이 입양시킨다고 합니다. 그때부터 그 아저씨를 달콩이 아저씨라 부르게 되었습니다.

큰딸은 경력 단절 16년 만에 취업해서 직장에 나가게 되었습니다. 출근하고 며칠 뒤 회사 흡연실 한쪽에 길고양이가 와서 새끼를 다섯 마리 낳았습니다. 큰딸은 달콩이 대신 길고양이 가족을 돌보았습니다. 새로 다니기 시작한 직장이 서름서름하기만 한데 고양이 가족은 위안이 되었습니다. 길고양이는 검은색, 흰색, 노란색, 세 가지가 섞였고, 다리가 길고 상큼하고 경쾌하고 예뻤습니다. 긴 꼬리를 바짝 쳐들고 언제나 유쾌하고 당당했습니다. 너무 예뻐서 '예쁜이'라 이름을 지었습니다. 눈도 못 뜬 다섯 마리의 육아가 무척 힘들 텐데 예쁜이는 정성을 다해 새끼를 돌봅니다.

회사 사람들은 예쁜이네 가족을 위해 사료를 사다 나르고 자식처럼 간식을 사다 주었습니다. 담배 연기가 어린 고양이들의 심장에 치명적인 영향을 미친다는데 흡연실에 사는 게 걱정되었습니다. 새끼 고양이 가운데 어미를 닮아 누런색과 검은색이 섞인 놈이 두 마리, 등이 까맣고 배 쪽은 하얀 놈이 한 마리, 다람쥐 같은 놈이 한 마리, 하얀 놈이 한 마리입니다. 한 달쯤 지나자 새끼들도 어미를 닮아서 친화력 좋게 사람들과 잘 놉니다. 쉬는 시간이면 담배를 피우는 사람이나 안 피우는 사람이나 흡연실로 달려갑니다. 흡연실에는 사나운 사람도 없고 잔소리쟁이 상사도 없습니다. 사람들마다 입이 귀에 걸려 귀여운 고양이들을 돌봅니다. 담배를 피우는 사람들은 여기서도 마음 놓고 담배를 피울 수 없다고 불평했습니다.

고양이 새끼들은 어느 놈이 더 예쁘다고 말할 수 없이 다들 독특한 매력이 있습니다. 여러 사람의 사랑으로 성장이 빨랐습니다. 그런데 예쁜이가 힘없이 시름시름합니다. 제 털도 고르지 못해 꺼칠합니다. 새끼들은 어미가 아픈데도 자꾸만 젖을 찾아 파고듭니다. 날씨도 점점 추워지는데 그대로 두었다가는 어미도 새끼도 힘들어질 것 같았습니다.

큰딸은 급한 마음에 어미는 병원에 데려가고 새끼 다섯 마리를 집으로 데려왔습니다. 고양이를 키우고 싶지만 큰아이 우진이에게 알레르기가 있어 그동안 고양이를 키우지 못했습니다. 큰애 방에서 뚝 떨어진 막내 방에 다섯 마리를 모두 갖다 놓았습니다. 밖에서 어미가 키울 때는 사료만 주고 보고 즐기기만 하면 되었는데, 새끼들은 아직 어려서 화장실도 가릴 줄 몰라 아무 데나 똥 싸고 오줌 싸고 난리입니다. 막내 지우 방은 냄새가 펄펄 납니다. 그래도 아이들은 고양이가 너무 키

3:09
1:23
12:54

우고 싶어서 아무리 난장판이 되어도 좋다고 합니다.

윗집 달콩이 아저씨한테 새끼들 입양을 부탁했습니다. 달콩이 아저씨는 마당발이어서 고양이 네 마리의 가족을 찾아주었습니다. 온몸이 하얗고 이마와 꼬리에만 검정 점이 있는 새끼 한 마리만 남았습니다. 누가 며칠 있다가 데리러 온다고 했는데, 약속한 날이 지나도 미루고 미루고 하더니 입양한다던 사람은 마음이 변했습니다.

차라리 잘된 것 같습니다. 온 가족이 고양이를 키우고 싶었는데, 새끼 고양이 다섯 마리가 집에 있는 몇 주 동안 우진이가 별 탈 없는 걸 보니 괜찮을 것 같습니다. 입양이 안 됐다는 핑계로 하얀 고양이를 키우기로 했습니다. 이름은 '눈송이'라 지었습니다. 눈송이는 큰애 우진이와 작은애 우혁이 목에 올라가 길게 엎드려 놀기를 좋아합니다. 그놈의 고양이 키우지 말라던 사위는 말만 그렇게 하지 고양이 똥도 치워주고 데리고 놀아도 줍니다. 사위는 고양이 타워도 멋지게 지어주었습니다.

큰딸의 카톡 프로필 사진이 예쁜이입니다. 우진이와 우혁이는 달콩이가 프로필 사진입니다. 지우는 눈송이 사진을 프로필 사진으로 했습니다. 큰딸네 가족은 고양이 사랑에 푹 빠졌습니다.

동생 태평이를
입양한 임평 씨

태풍이 오던 날,
집으로 데려온 고양이

2019년 작은딸은 경기도 성남 사기막골로 이사를 갔습니다. 살고 있는 빌라 주차장에 길고양이가 여러 마리 산다고 합니다. 고양이 밥을 챙겨주는 사람이 많아서 다행이라고 했습니다. 지난여름 길고양이들이 한꺼번에 새끼를 여러 마리 낳았는데 한 마리가 버려졌는지, 외따로 돌아다니는데 영 신통찮다고 걱정합니다.

2019년 9월, 한국으로 갈 비행기표를 예매해놓은 어느 날입니다. 베트남에 있는데 작은딸한테서 전화가 왔습니다. 엄마가 오시면 심심할까 봐 고양이 새끼 한 마리를 엄마 집에 갖다 놓았답니다. 또 어디서 고양이 새끼를 주워온 모양입니다. 어떻든 고양이가 있다니 설레는 마음으로 집에 들어갔습니다. 문을 열고 들어가자 뭐가 지나가는 듯한데 아무것도 보이지는 않았습니다.

불을 끄고 누우니 두 개의 불빛만 반짝반짝하며 가만히 다가와 내 손 냄새를 맡아봅니다. 얼마나 작은지 손안에 쏙 들어올 것 같습니다. 숨만 크게 쉬어도 아기 고양이는 번개처럼 도망가 숨어버립니다. 물건 뒤에 숨어서 눈만 빼꼼 내밀고 절대로 사람 가까이에 오지 않습니다.

작은딸은 고양이 새끼를 데려온 사연을 이야기합니다. 외톨이 새끼 고양이가 저러다 죽겠거니 했는데, 가을이 다 되도록 죽지는 않고 힘없이 돌아다니더랍니다. 등이 까맣고 얼굴은 하얗고 코 옆에 검은 점이 크게 있는 놈인데, 금방이라도 쓰러질 듯하면서도 사람들이 놓아준 사료를 어렵게 먹는 것이 보였답니다. 하얀색 중고양이 한 마리가, 그것도 수놈인데 새끼 고양이를 챙겨 데리고 다녔다고 합니다.

태풍 링링이 온다고 뉴스가 나옵니다. 날씨도 점점 썰렁하게 바람이 붑니다. 새끼 고양이가 걱정입니다. 출근하려고 내려갔는데 차가 금방 빠져나간 자리에서 어디로 도망도 가지 못하고 주차장 가운데 그대로 앉아 있습니다. 그냥 두면 이번 태풍에 죽지 싶더랍니다. 들고 있던 카디건을 휙 던져 덮어씌웠습니다. 새끼 고양이는 반항도 못하고 빠져나가지도 못하고 그대로 있었습니다.

그길로 새끼 고양이를 병원에 데리고 갔습니다. 너무 약해서 병의 유무를 알아보는 것보다는 기운을 회복할 수 있게 수

플라스틱

액부터 맞혔습니다. 무게를 재보니 500그램이었습니다. 사흘을 입원시켰는데, 의사 선생님 말씀이 살려는 의지가 강해서 밥도 먹고 괜찮아졌답니다.

작은딸은 "엄마, 고양이가 예쁘지?" 합니다. "만져볼 수도 없는데 뭐가 예쁘냐." 하니, 그래도 혼자 있는 것보다 고양이가 집 안에 있으니 얼마나 좋으냐고 합니다. 맨날 고양이라고 하지 말고 이름을 지어주기로 했습니다. 태풍 링링이 올 때 데려왔으니 링링이라 할까 하다가, 무슨 중국 이름 같기도 해서, '태풍이'라고 하자 하니 딸은 그러자 했습니다. "태풍아, 태풍아." 하고 불러보니 이름이 너무 세게 들렸습니다. 그러지 말고 편안한 이름이 좋겠다고 생각해낸 이름이 '태평이'입니다.

태평이는 츄르(빨아 먹는 고양이 간식)를 좋아해서 츄르가 먹고 싶으면 '앙옹앙옹' 하며 쳐다보고 조릅니다. 츄르를 들고 있으면 다가와 츄르만 열심히 빨아 먹고 가서 또 숨습니다. 멀쩡히 혼자 놀다가도 눈만 마주치면 숨어버립니다. 큰 상자 안에 스티로폼을 깔고 한쪽 옆으로 입구를 내서 깊숙이 들어가 사람이 보이지 않게 해주었습니다. 가까이는 있지만 사람이 보이지 않으니 안심되는 모양입니다.

빨리 사람을 따르게 해서 어디 마땅한 집이 있으면 입양을 보내려고 갖은 친절을 다 떨어도 소용이 없습니다. 그해 가을, 서울에 2주를 머무르는 동안 태평이를 만져보지도 못하고 베트남으로 돌아왔습니다.

작은딸은 은근히 고양이 욕심이 많습니다. 입양이 안 되면 자기 사무실에 갖다 놓고 키운다고 합니다. 내가 베트남으로 돌아간 뒤, 작은딸은 빈집에 들러 태평이와 서너 시간씩 놀아주고 집으로 간다고 했습니다. 오라고 하면 오지는 않지만 가만 누워 있으면 다가와서 냄새를 맡아본다고 합니다. 서너 시간 있다가 집에 간다고 하면 가지 말라고 애처롭게 '양옹'거린다고 합니다.

큰딸은 태평이를 꼭 입양 보내야 한다고 걱정이 대단합니다. 작은딸네는 부부가 다 고양이를 좋아해서 비실거리는 고양이 새끼를 주워다 키웁니다. 입양을 보내지 못하면 결국 자기네가 키워서 집에 가면 고양이가 여러 마리 있어 정신이 없습니다. 큰딸은 동생이 고양이를 또 늘릴까 봐 걱정이 이만저만 아닙니다.

큰딸은 윗집 달콩이 아저씨한테 태평이 사진을 보여주며 입양을 보내달라고 했답니다. 달콩이 아저씨는 자기네 회사의 직원인 임평 씨한테 태평이 사진을 보여주며 고양이를 키워보라고 했답니다. 임평 씨는 예쁘다고 하면서 이름이 태평이니 자기 동생으로 입양한다고 했답니다.

큰딸은 얼른 태평이를 잡아놓으라고 토요일에 데리러 온다고 했습니다. 작은딸은 태평이를 입양 보내려고 토요일에 일찍부터 빈집으로 가서 작전을 짰습니다. 숨지 못하도록 냉장고 틈, 베란다 선반 밑, 침대 밑…. 집 안 구석구석을 다 막았습니다. 텅 빈 식탁 구석으로 태평이를 몰아갔습니다. 태평이가 쫓기다 급한 나머지 식탁 다리를 타고 올라가는 것을 이불을 확 씌워 붙잡았습니다. 태평이는 너무 놀라서 물똥을 찍 싸버렸습니다. 작은딸의 옷도 다 버리고 이불도 똥투성이가 되었답니다. 그렇게 태평이는 살려준 은혜를 괴상한 방법으로 갚고 떠났습니다.

큰딸은 먼 길을 달려와서 태평이를 데리고 가 달콩이 아저씨에게 맡겼습니다. 그렇게 태평이는 임평 씨 집으로 입양됐습니다. 임평 씨는 태평이가 수컷이여서 임태평 군이라 부른다고 합니다. 며칠 뒤 임평 씨가 태평이 사진을 보내왔습니다.

자기 집에서 아주 편안한 자세로 자는 사진입니다.

태평이가 임평 씨 집으로 간 지 이제 1년쯤 되었습니다. 딸들이랑 가끔씩 태평이 이야기를 합니다. 치사하게 만지지도 못하게 하면서 간식을 달라고 나름대로 애교를 부리던 게 눈에 선합니다. 이름처럼 태평한 팔자가 되어 다행입니다.

중매쟁이
코르사

고양이가 맺어준 인연,
막내딸의 결혼

막내딸은 서른아홉이 됐는데도 시집갈 생각을 안 하고 애를 태웠습니다. 고양이만 좋아해서 어디서 예쁜 길고양이를 잘도 주워다 키웁니다. 언제는 길을 가다가 허리가 부러진 고양이를 머플러로 감싸 안아다 병원에 입원시켰답니다. 수술비가 많이 들었는데 살지도 못하고 죽었다고 눈물을 흘립니다. 안됐다고 회사 친구들이 돈을 걷어 보태주었답니다. 추운 가을날 어미가 버리고 간 다 죽어가는 길고양이 새끼를 주워옵니다. 할퀴고 침대 밑에 들어가 물똥도 싸고 하는데도 한사코 키워 입양 보냅니다.

아주 특이한 고양이들을 키웁니다. 친화력이 좋은 아비시니안이라는 종의, 정말로 예쁜 암고양이를 누가 주워다 주었답니다. 고양이를 많이 키워보았지만 그렇게 짙은 송아지빛이 나는 고양이는 처음 봅니다. 체격도 날씬한데 발이 아주 작고 정교해 무용수 같습니다. 눈이 동그랗고 예쁩니다. 눈꺼풀이 홑겹이면서 아주 특이하게 생겼습니다. 그 예쁜 고양이의 이름이 '생강'입니다. 엄청 예쁜데 왜 이름이 생강인지 물어본다는 게 아직도 물어보지 못했습니다. 생강이는 몇 달 있다가 만나도 낯설어하지 않고 반가워 쫓아와 안겨옵니다. 미꾸라지 수염처럼 길지 않고 까칠한 수염을 비비면서 얼굴을 들이대고 눈을 맞추고 알은체를 해 언제나 귀염을 독차지합니다. 사람을 너무 좋아해서 몇 사람이 있으면 길게 엎드려 여러 사람에게 걸치고 앉습니다. 자존심이 얼마나 강한지 자기가 안기고 싶을 때 스스로 안겨서 얼굴을 삐죽 들이대고 저만 보고 알은체를 하라고 합니다.

회색빛이 나는 '스티브'라는 고양이는 정말로 멋지게 생겼습니다. 스티브는 머리통이 큼직하고 덩치도 크고 코끝은 빨간 것이 매력이 뚝뚝 흐릅니다. 사람으로 치면 장동건처럼 잘생긴 수고양이입니다. 그렇지만 스티브는 무늬만 장동건입니다. 이불에다 오줌을 싸고 소파에도 오줌을 싸고 돌아다닙니다. 밴댕이 소가지여서 다른 고양이가 들어오면 띠꺼워서 양발로 팍팍 때려주고 저만 안아달라고 합니다.

"그놈의 고양이 좀 그만 주워 들이고 시집갈 생각이나 하그라. 아가씨가 항상 고양이털이나 붙이고 다니니 언놈이 좋아하겠나." 핀잔을 주었습니다. 서른아홉도 막바지에 이른 12월 어느 날, 큰딸과 셋이 점심을 먹고 있었습니다.

막내딸이 하는 소리가 후배가 아는 이 중에 경기도 어디에서 카센터를 하는 청년이 있는데, 이 청년이 눈을 다쳐 피를 흘리며 들어온 고양이를 치료해주었답니다. 결국 한쪽 눈을 잃어 외박이라고 부르며 밥을 주었더니 어느 날 가게로 들어와 새끼를 다섯 마리나 낳았답니다. 치료비에 사료값에 돈도 꽤 들었다고 합니다. 막내딸이 "그 사람이나 한번 만나볼까." 하니, 큰딸이 "됐어." 하고 잘라 말했습니다. 나는 그저 해보는 소리거니 했습니다.

그런데 그해가 가기 전에 그 청년을 후배 소개로 만나보았다고 합니다. 딸이 어느 날인가 링거를 맞고 있는 고양이 사진을 보여주었습니다. 외박이의 새끼 다섯 마리 중 네 마리는 입양 보내고, 한 마리를 남겨 키웠는데 그 고양이가 아파서 입원 중이라고 합니다. 몇 주째 고양이는 꼼짝도 안 하고 링거를 맞았습니다. 주중에는 병원에서 맞고 주말에는 집에서도 맞았습니다. 웬만하면 포기할 만도 한데 절대 포기하지 않고 기어코 살려냈답니다. 주둥이와 배만 하얗고 고등어처럼 얼룩얼룩 회색 줄무늬가 있는 고양이입니다. 이름은 '코르사'인데, 이탈리 아어로 '질주'라는 뜻이랍니다. 차를 좋아해서 이름을 그렇게 지었나 봅니다.

딸이 마흔이 된 어느 가을날, 그 청년이 우리 집에 오고 있다고 합니다. 조금 있다가 큰길 쪽에서 올 테니 엄마가 좀 나가 보라고 합니다. 한 번도 본 적이 없는데 마중을 나갔습니다. 큰길 쪽에서 언놈이 걸어오는데 느닷없이 '아, 가족이구나' 그런 생각이 불쑥 들었습니다. 쫓아가서 물으니 정말로 사윗감이 맞았습니다. 그렇게 코르사는 질기도록 시집을 가지 않던 막내딸의 중매쟁이가 되었습니다.

이듬해 꽃이 활짝 핀 봄날, 경기도 광주시 오포읍 산꼭대기 어느 가든 뜰에서 결혼식을 올렸습니다. 결혼식은 주례는 없이 했고, 시어머니도 한 말씀하시는 순서가 있고 친정엄마도 한 말씀하는 순서가 있었습니다. 그때 나는 다리 수술을 해서 목발을 짚고 다니는 중이었습니다. 말을 잘하는 너희 아버지나 시키라고 했습니다. 딸은 시어머니는 삼 일을 밤새워 원고를 쓰고 있다고 전합니다. 할 수 없이 나도 목발을 짚고 나가 한 말씀했습니다.

결혼식을 이런 산꼭대기에서 하면 누가 찾아오겠나 했는데

그래도 올 사람은 다 찾아왔습니다. 신부가 꽃다발을 흔들면서 '나 오늘 시집가요.' 하며 춤도 춥니다. 젊은 날 어느 밴드에서 일했다는 신랑의 신나는 기타 연주도 들을 수 있었습니다.

색시는 생강이와 스티브, 두 마리 고양이를, 신랑은 중매쟁이 코르사를 데리고 살림을 차렸습니다. 둘이 다 은근히 차 밑을 흘끔거리며 얼어 죽기 직전의 고양이 새끼를 주워 들여 분양합니다.

코르사는 덩치도 크고 성격이 느긋해 새끼 고양이가 들어올 때마다 잘 다독여줍니다. 코르사는 사람으로 치면 대통령을 해도 될 것 같습니다. 이름은 질주라는 거창한 뜻인데, 퉁퉁하니 살집이 좋아 누워 있는 걸 제일 좋아합니다. 코르사는 즈아버지가 일터에서 돌아오면 '에~앵' 소리를 내며 애교를 떨며 쫓아가 안깁니다. 사위는 코르사를 안고 비비고 한참 난리를 떱니다. 고양이기에 망정이지 자식을 데리고 결혼했다면 서로 내 자식, 네 자식 하면서 큰일 나겠다 싶습니다.

사위는 위로 누나 셋이 있는 막내아들입니다. 사위 얘기로는 외할머니가 코르사 엄마로 환생해 자기를 도우러 오신 것 같다고 합니다. 고양이를 싫어했는데, 코르사 엄마를 어쩌다 거두었더니 좋은 일이 생겼답니다. 어린 날 어머니가 직장을 다니셔서 외할머니가 자기를 키우셨답니다. 외할머니는 맛있는 것, 좋은 것은 다 외손주만 주었답니다. 오직 세상에서 자기 외손주가 최고라고 애지중지 키워주셨답니다. 사위는 지금도 외할머니를 잊지 못하고 가끔 이야기합니다.

작가의 말

책을 묶으려고 정리하다 보니 '요츠바'와 '고로' 이야기를 빼놓았습니다. 돌아보면 이 두 고양이는 내 인생의 가장 행복한 시절과 힘든 시절을 함께해준 아이들입니다.

2000년 단풍이 곱게 물들고 감이 노랗게 익은 햇빛 좋은 가을날, 경기도 성남시 검단산 아래 사기막골로 이사했습니다. 처음에는 동네에서 꽃 한 포기 볼 수 없는 것이 아쉬웠습니다. 꽃을 좋아하는 남편은 다음 해부터 땅 주인에게 허락을 받고 앞산 비탈을 일구어 꽃을 심기 시작했습니다. 길 가다가도 차를 세우고 꽃씨를 받아다 심고, 친정인 강원도 평창에 가서 할미꽃도 파다가 심었습니다. 봄이면 서울 양재 꽃 시장에서 꽃나무를 사다 심었습니다. 몇 년 동안 심고 가꾸니 각종 꽃나무들이 계절 따라 아름다운 꽃을 피웠습니다. 원두막을 짓고 각종 나물도 심고 농사도 지었습니다. 산꼭대기까지 올라가 호스를 연결해 샘물을 끌어와 연못을 만들었습니다. 닭장을 지어 닭도 키우고 연못에는 오리도 키웠습니다. 남편은 수만 평의 땅이 있어도 누리는 사람이 임자라고 하며 행복해했습니다.

한참 새싹이 돋고 희망이 부풀던 2007년 3월, 남편은 어떤 단체와 함께 베트남에 장학금을 전달하고 온다고 가더니 며칠 후 밤에 돌아왔습니다. 주일 낮 예배 때 베트남에 선교사로 가겠다고 느닷없이 선포했습니다. 1년 동안 열심히 준비한 남편은 2008년에 베트남으로 선교를 떠났습니다. 나는 다니던 학교 과정이 한 학기가 남아서 같이 떠나지 못했습니다.

'인생은 60부터'라기에 그때 시작한 공부가 재미있었습니다. 큰딸은 시집가서 아들 둘을 낳았습니다. 손주는 내 자식을 키울 때보다 더 재롱스럽고 귀엽고 사랑스러웠습니다. 아들은 독립해 살고, 막내딸은 직장 가까운 곳에서 회사 선배와 함께 살고 있었습니다. 내가 노인이라는 생각은 해보지도 않았는데 '독거노인'이라는 수식어가 붙었습니다. 막내딸은 독거노인을 혼자 둘 수 없다고, 키우던 '요츠바'라는 갈색 줄무늬 고양이를 데리고 집으로 들어왔습니다. 말로만 집으로 왔지, 회사가 너무 멀어서 여전히 선배 언니 집에서 살다가 주말에나 집에 왔습니다. 나는 집에는 밥 챙겨줄 사람도 없고 아주 자유로워졌습니다.

요츠바는 유일한 나의 친구이자 가족이 되었습니다. 요츠바는 잘생기고 씩씩하고 예쁜 재롱둥이입니다. 학교에 갔다 오면 발소리만 나도 현관 앞에 나와 기다립니다. "요츠바, 잘 있었어?" 하면 "야옹" 하고 대답을 곧잘 합니다. "요츠바는 누구 아들?" 하면 "야옹야옹" 하는 것이 엄마 아들이라고 대답하는 것 같습니다. 요츠바의 특기는 숨바꼭질입니다. "요츠바 없다~" 하면 얼른 알아듣고 이불 속에 들어가 엉덩이는 다 내놓고 머리만 숨습니다. "요츠바, 어디 갔나?" 하면 부엌 창문으로 나가 베란다를 통해 방 창문으로 들어가 숨고는 합니다. 4층인 우리 집에서 창문을 내다보면 앞산 비탈에 잘 가꾼 꽃밭이 마주 보입니다. 남편이 정성을 다해 가꾼 사기막골의 아름다운 꽃밭을 요츠바와 같이 구경했습니다. 요츠바는 혼자서 창가에 앉아 꽃밭을 구경하는 시간이 많아졌습니다.

하루는 막내딸이 다람쥐처럼 노란 줄무늬가 있는 '고로'라는 고양이와 함께 왔습니다. 요츠바가 심심할까 봐 데려왔답니다. 잘했다고 반가워서 얼른 "요츠바, 네 친구가 왔네~" 하며 보여주었습니다. 요츠바는 "왕오~ 왕오~~" 하며 눈을 부릅뜨고 노여워합니다. 쫓아오더니 내 팔을 잡아당겨 한쪽 발로 패기 시작합니다. "내가 데려온 게 아니고 재가 데려왔거든?" 해도 소용이 없습니다. 요츠바의 노여움은 가라앉질 않습니다. '하루 이틀 하다 말겠지' 하고 웃어넘겼는데, 뒤끝이 얼마나 긴지 멈출 줄 모르고 매일 나만 보면 눈을 부릅뜨고 발로 잡아당겨 팹니다. 어느 날 외출하고 돌아오니 요츠바가 고로의 똥꼬를 핥아주고 있었습니다. 끝날 것 같지 않던 노여움이 열흘 만에 가라앉았습니다.

고로는 식탐이 엄청났습니다. 애가 먹어도 먹어도 또 먹고 자꾸만 먹으려고 합니다. 자유롭게 먹이를 담아둘 수가 없습니다. 제 것을 번개처럼 다 먹고 요츠바 것도 또 먹습니다. 병에다 먹이를 담아놓았는데 어떻게든지 뚜껑을 돌려 열어서 직접 꺼내 먹을 줄도 압니다. 고로는 머리가 좀 작은 편인데 너무 먹어서 배가 자꾸만 커지더니 위에서 보면 오징어처럼 돼버렸습니다. 그래도 귀여운 애교쟁이에다 장난꾸러기입니다.

평생 마음으로 생각으로만 쓰던 글쓰기를 시작한 때였습니다. 어느 날 택배가 왔기에 딸의 것인 줄 알고 며칠을 그냥 두고 있었는데, 딸이 전화해서 엄마 보라고 책을 보냈다고 합니다. 뜯어서 보니 《초원의 집》 아홉 권 세트와 빨간 봉투에 든 편지가 있었습니다. '엄마, 재미난 책 많이 읽으시고 작가의 꿈을 꼭 이루세요'라고 씌어 있었습니다. 내 평생 세상에서 가장 좋은 말, 행복한 말을 들었습니다. 혼자 앉아서 엉엉 울었습니다. 며칠을 두고 편지를 보고 울고 보고 또 울었습니다. 서울 복정역에서 방배동 학교로 가는 전철 속 빽빽한 사람들 틈 속에서 책을 머리 위로 쳐들고 읽었습니다. 하굣길에는 복정역 플랫폼 벤치에 앉아 한참을 책을 읽다가 집으로 왔습니다. 내 평생에 나만을 위한 가장 행복한 시간을 가질 수 있었습니다.

2009년 5월 30일, 남편이 먼저 가 있는 베트남으로 갔습니다. 40년 동안 쓰던 살림을 많이 정리했습니다. 그렇게 좋은 살림은 아니지만 애지중지 사 모은 장독을 버리는 것은 힘든 일이었습니다. 막내딸이 몇 년만 살다 오라고 엄마의 살림살이를 지켜준다고 했습니다. 막내딸은 엄마의 중요한 짐을 가지고 경기도 고양시 화정동에 집을 얻어 요츠바와 고로를 데리고 이사를 갔습니다.

베트남에 가보니 한증막이 따로 없습니다. 온도가 높고 습도도 높아 숨이 턱턱 막힙니다. 양쪽에 방이 두 개씩 있는 5층 집을 얻어 살았습니다. 집 안에는 많은 베트남 아이들이 들락거렸습니다. 알아들을 수 없는 외국어가 들릴 뿐이었습니다. 1년 먼저 온 남편은 무엇이 그리 즐거운지 아이들과 연신 폭소가 터졌습니다. 혼자서는 한 발짝도 나가지도 못하고 물건을 살 줄도 모르는 바보가 되었습니다. 그저 웃고 떠드는 소리를 듣다가 때가 되면 밥을 하는 것이 고작이었습니다.

천성이 부지런한 남편은 베트남어 공부를 하면서 베트남 아이들에게 한글도 가르치고 정신없이 바빴습니다. 아이들도 돌아가고 어두컴컴한 주방에 홀로 앉아 있었습니다. 머리에서 불이 번쩍 튀면서 '큰일 났구나. 혼자구나.' 하는 생각이 들었습니다. 모든 것이 억울하고 분노에 찼습니다. 가만히 있는데도 눈물이 줄줄줄 흘러내립니다. 어릴 적 눈물이 많아 어머니가 그렇게 눈물이 많으면 청승스러운 팔자가 된다고 하셨던 말이 기억이 났습니다. 정말로 눈물이 많아 무엇이 잘못돼가고 있었습니다.

그해 9월, 한증막 같던 베트남에서 저녁 비행기를 탔습니다.

다음 날 아침, 서리 내린 썰렁한 한국 공항에 내렸습니다. 모든 것이 보이고 들렸습니다. '여기가 천국이 아닐까.' 하는 생각이 들었습니다. 공항에 마중 나온 막내딸의 차를 타고 큰딸의 집으로 갔습니다. 키 크고 잘생긴 사위와 손주들이 반겨주었습니다. 솜씨 좋은 큰딸이 화려한 밥상을 차려주었습니다. 모든 것이 반갑고 맛있고 좋았습니다.

막내딸이 사는 화정 집에는 요츠바와 고로가 기다리고 있었습니다. 처음에는 요츠바가 큰 눈을 껌벅거리며 숨을까 말까 하더니 다시 돌아보고 와서 "에앵…" 가냘픈 소리를 내며 부빕니다. 요츠바가 알은체를 하니 고로도 나와서 알은체를 합니다.

화정 집은 아파트 맨 뒷동 19층이었습니다. 거실의 넓은 창문은 동남향이었습니다. 아파트 뒤쪽은 북한산까지 활짝 트인 전원으로 이어졌습니다. 거실 한쪽 벽은 연두색 책꽂이에 책이 가득했습니다. 고로는 날이 밝기도 전에 자는 막내딸의 머리카락을 물어 당깁니다. 밥이 먹고 싶어서 잠도 못 자는 놈이랍니다. 내가 일찍 일어나 밥을 주니 막내딸을 깨우지 않았습니다. 요츠바와 고로와 같이 날마다 일출을 볼 수 있었습니다. 병원에 가서 눈물 멈추는 약도 처방받아 먹었습니다. 서기 어린 동쪽 하늘은 매일 아침 힘차게 붉은 태양을 밀어 올립니다. 그렇게 경이롭고 신비로운 일출도 눈물을 멈추게 하지 못했습니다.

베트남에 가기 전 혼자 사는 동안 《줄밤나무집 아이들》이라는 제목의 소설을 써두었는데, 양이 조금 적은 것 같아서 몇 꼭지 더 쓰고 있었습니다. 교자상을 놓고 상 밑으로 다리를 뻗치고 앉아 쓰다가 눈물을 흘리고 있으면 고로가 와서 머리로 힘껏 밀었습니다. 많이 먹어서 그런지 기운이 엄청 셉니다. "엄마를 위로는 못해줄망정 넘어지도록 밀어제치냐?" 하며 누워서 줄줄줄 웁니다. 고로가 와서 눈물을 핥아줍니다. 처음에는 바라만 보던 요츠바도 다가와 눈물을 핥아줍니다.

요츠바와 고로와 함께 있으면 마음이 편안해졌습니다. 큰딸 집에 갔다가도 고양이들이 보고 싶어서 금세 화정 집으로 돌아왔습니다. 재미난 책을 읽으며 요츠바와 고로와 이야기하고 숨바꼭질도 하며 그해 겨울을 화정 집에서 났습니다. 멈출 것 같지 않던 눈물이 언제 멈추었는지 나도 모르게 눈물을 흘리지 않게 되었습니다. 요츠바와 고로 덕분에 시도 때도 없이 흐르던 눈물이 멈추고 지금은 베트남으로 와 10년 넘게 잘 살고 있습니다.

연재를 시작하면서 평생 만난 동물들을 추억하는 즐거운 글쓰기가 될 거라 기대했는데, 쓰면 쓸수록 마음이 복잡해졌습니다. 그동안 동물들의 예쁜 면만 봐왔지 동물의 일생에 대해서 생각한 적이 없었습니다. 평생 일을 해준 소도 팔고 개도 팔고 결국 이별을 했는데, 그때는 그게 당연한 일로 알고 살았습니다. 이별이 마음 아프고 헛헛해도 그런 건 줄 알고 살았습니다. 살면서 만났던 동물에 대한 글을 쓰면서 옛날 기억이 새록새록 났습니다. 고된 일을 하던 소도 농번기가 끝나면 맑은 물이 흐르는 강가에서 여유롭게 쉽니다. 풀을 뜯고 물을 마시며 한가롭게 흔드는 워낭소리가 들리는 듯했습니다. 목줄을 매어본 적 없는 우리 집 개들은 풀밭을 말처럼 달리며 이웃집 친구 개도 자주 만나서 놀았습니다. 할머니를 졸졸 따라다니던 누렁이는 어떻게 아는지 절대로 곡식 포기를 밟지 않았습니다. 고양이는 방 안을 들락거리는 특권을 누리고 살았습니다. 문짝 아랫부분의 문살을 고양이가 들락거릴 만큼 잘라내고 천 조각을 붙여 문처럼 밀고 드나들었습니다.

《내가 사랑한 동물들》을 연재하면서 그동안 키웠던 동물들의 사랑스러운 모습이 떠올라 행복하기도 했고 미안함에 사무쳐 눈물을 흘리기도 했습니다. 갑자기 뱀을 만나 끔찍하고 무서웠던 기억이 생생해서 몸서리치기도 했습니다. 세월의 갈피갈피에 두고 온 많은 동물들을 앨범을 넘기듯 가끔씩 꺼내봅니다. 누구와도 공유할 수 없는 나만의 기억 앨범 속에 무수한 장면으로 남아 있습니다. 마지막까지 내 인생을 풍요롭고 행복하게 해주었던 많은 동물들에게 감사하며 그 기억을 아름다운 선물 보따리처럼 안고 살아갈 것입니다.

지면을 주신《한겨레21》과 정은주 편집장님께 감사한 마음을 전합니다. 기획해주신 구둘래 기자님과 멋진 그림을 그려주신 방현일 작가님, 책을 아름답게 만들어주신 송윤형 디자이너님과 김윤정 편집자님께 감사드립니다. 읽어주신 독자 분들께 감사를 드립니다.

2021년 봄

전순예

내가 사랑한 동물들

1판 1쇄 발행 2021년 3월 26일

지은이 전순예
펴낸이 김송은
책임편집 김윤정
일러스트 방현일
디자인 송윤형

펴낸곳 송송책방
출판등록 2011년 5월 23일 제2018-000243호
주소 (06317) 서울시 강남구 언주로 110, 경남2차상가 203호
전화 070-4204-7572
팩스 02-6935-1910
전자우편 songsongbooks@gmail.com

ISBN 979-11-90569-30-9 03810

· 파본은 구입하신 서점에서 바꾸어 드립니다.